Impuros
A Legião de Exus

A você, que vai entrar agora nessa linda e reveladora psicografia, eu desejo muita luz, paz, amor e felicidade. Que as linhas por mim psicografadas lhe ajudem em sua jornada evolutiva.

São meus sinceros votos,

IMPUROS
A Legião de Exus

OSMAR BARBOSA

Pelo Espírito de Lucas

IMPUROS
A Legião de Exus

Book Espírita Editora
1ª Edição
| Rio de Janeiro | 2019 |

OSMAR BARBOSA

Pelo Espírito de Lucas

BOOK ESPÍRITA EDITORA

ISBN: 978-85-92620-39-4

Capa
Marco Mancen

Projeto Gráfico e Diagramação
Marco Mancen Design Studio

Ilustrações Pontos riscados
Osmar Barbosa

Revisão
Anna Julia Paixão
Mauro Nogueira

Marketing e Comercial
Michelle Santos

Pedidos de Livros e Contato Editorial
comercial@bookespirita.com.br

Copyright © 2018 by
BOOK ESPÍRITA EDITORA
Região Oceânica, Niterói, Rio de Janeiro.

1ª edição
Prefixo Editorial: 92620
Impresso no Brasil

Todos os direitos reservados e protegidos pela Lei 9.610, de 19/02/1998. Nenhuma parte deste livro pode ser reproduzida ou transmitida por quaisquer formas ou meios eletrônicos ou mecânicos, incluindo fotocópia, gravação, digitação, entre outros, sem permissão expressa, por escrito, dos editores.

Outros livros psicografados por Osmar Barbosa

Cinco Dias no Umbral

Gitano – As Vidas do Cigano Rodrigo

O Guardião da Luz

Orai & Vigiai

Colônia Espiritual Amor e Caridade

Ondas da Vida

Antes que a Morte nos Separe

Além do Ser – A História de um Suicida

A Batalha dos Iluminados

Joana D'Arc – O Amor Venceu

Eu Sou Exu

500 Almas

Cinco Dias no Umbral – O Resgate

Entre nossas Vidas

O Amanhã nos Pertence

O Lado Azul da Vida

Mãe, Voltei!

Depois...

O Lado Oculto da Vida

Entrevista com Espíritos – Os Bastidores do Centro Espírita

Colônia Espiritual Amor e Caridade - Dias de Luz

O Médico de Deus

Amigo Fiel

Vinde à Mim

Umbanda para Iniciantes

Agradecimento

Agradeço primeiramente a Deus por ter me concedido esse verdadeiro privilégio de servir humildemente como um mero instrumento dos planos superiores.

Agradeço a Jesus Cristo, espírito modelo, por guiar, conduzir e inspirar meus passos nessa desafiadora jornada terrena.

Agradeço ao Lucas e aos demais espíritos ao lado dos quais tive a honra e o privilégio de passar alguns dias psicografando este livro. Agradeço ainda pela oportunidade e por permitirem que essas humildes palavras, registradas neste livro, ajudem as pessoas a refletirem sobre suas atitudes, evoluindo.

Agradeço ainda a minha família, pela cumplicidade, compreensão e dedicação. Sem vocês ao meu lado, dando-me todo tipo de suporte, nada disso seria possível.

E agradeço a você, leitor amigo, que comprou este livro, e, com a sua colaboração, nos ajudará a levar a Doutrina Espírita e todos os seus benefícios e ensinamentos para mais e mais pessoas.

Obrigado.

A todos, os meus mais sinceros agradecimentos.

Osmar Barbosa

> Recomendamos a leitura de outras obras psicografadas por Osmar Barbosa para melhor familiarização com os personagens deste livro.
>
> O Editor

Conheça um pouco mais de Osmar Barbosa em
www.osmarbarbosa.com.br

"Caríssimos, não acrediteis em todos os Espíritos, mas provai se os Espíritos são de Deus, porque são muitos os falsos profetas que se levantaram no mundo."

(João, Epístola I, cap. IV: 1)

Sumário

19 | PREFÁCIO

29 | RAMSÉS

67 | ARAMÍS

97 | TURMIO

127 | O VALE DOS MONGES

143 | LORENZO

161 | O REENCONTRO

177 | A REVELAÇÃO

191 | O PORTAL

Prefácio

Passado algum tempo me encontro novamente com Lucas, dias após a psicografia do livro *Amigo Fiel*. Eu o cumprimentei e esperei pacientemente por sua mensagem.

Lucas estava diferente. Ele é falante, mas naquele dia estava quieto e ficou ao meu lado por alguns minutos em silêncio. Aprendi com ele que é melhor esperar ele falar do que incomodá-lo com minhas eternas dúvidas e meus inocentes questionamentos.

Lucas olhou serenamente para mim e disse:

– Osmar, vamos escrever outro livro?

– Sim, Lucas, claro que sim – disse-lhe ansioso – Do que se trata agora, qual o assunto?

– Meu amigo, Osmar, depois da vida, você assim como todos os encarnados, irão dar de frente com realidades diferentes. Há muita coisa que precisamos explicar a todos vocês, e é através das psicografias que estamos informando mais ou menos como são as coisas após a vida terrena.

– Agradeço a oportunidade, Lucas. Mas por que mais ou menos?

– Não agradeça, escreva. Quanto ao seu primeiro por que, digo-lhe que vocês ainda não estão preparados para saber de tudo, só isso!

– Vamos começar agora? – disse-lhe ansioso.

– Sim, comece a escrever.

Lucas é um rapaz de aproximadamente trinta anos. Ele tem os cabelos lisos e negros, caídos sobre os ombros. Sua bela cabeleira é repartida ao meio. A barba está por fazer. Seu corpo é atlético, veste-se sempre muito bem. Seu sorriso é o que mais marca sua beleza, embora foram poucas as vezes que eu o vi sorrir.

Naquele dia especialmente ele estava diferente, parecia mais sério do que o normal. Assim, peguei os papéis e começamos mais uma psicografia.

Logo nas primeiras linhas eu me emocionei, pois ele me disse que escreveríamos um livro que traria muitos ensinamentos e que mudaria muitos corações. Gosto quando eles falam isso! Sentei-me na mesa do escritório que tenho em minha casa, tranquei a porta e começamos mais um livro.

– Estou pronto, Lucas – disse-lhe.

– Antes, Osmar, precisamos de um prefácio.

– Sim, claro que sim.

– Escreva isso:

"Os dias na vida dos encarnados são curtos demais diante de uma vida eterna. Os anos encarnados passam sem perceber. Quando crianças sonhamos com a juventude. Logo que ela chega queremos a maturidade, e logo que a maturidade nos abraça, chega o momento da despedida. Assim é a vida, rápida como o voo da águia quando voa para capturar sua presa. Se te preocupas com a vida material, a vida passa num piscar de olhos, pois o desejo a ambição lhe ofuscam o dia a dia. Quando balanceia a vida entre a materialidade e a espiritualidade, percebes que há uma encruzilhada na vida, qual caminho escolher? Normalmente é o da materialidade que mais lhe interessa.

Os que te amaram na vida terrena estando na vida consciencial ficam desesperados para alertá-los sobre a realidade que se descortinará em sua frente. São poucos os que dão ouvidos a isso. Assim, a luta é a da comunicação. Nós aqui tentando despertar a consciência eterna em vocês e vocês vindo até nós para pedir benesses materiais. Os centros espíritas estão cheios de almas encarnadas em busca do milagre financeiro e pessoal.

O amor que nutrimos pelos que deixamos encarnados nos força a nos desviar de nosso propósito, o amor é uma faca de dois gumes. Muitos são os espíritos que se encontram aqui na erraticidade sofrendo como se estivessem encarnados, pois absorvem as dores de seus amores encarnados. Assim, eles seguem tentando ajudar aqueles que mesmo sem merecimento precisam de ajuda. É desesperador o que sofremos aqui, porque embora empenhados em informar e auxiliar aqueles que deixamos encarnados e que amamos muito, não somos sequer ouvidos ou percebidos. A preocupação é intensa e por vezes nos desviamos da evolução para não ver quem amamos muito em sofrimento. Isso tem consequências aqui, Osmar."

– Imagino, Lucas.

– Quando nos desviamos dos propósitos aos quais estamos imbuídos, sofremos como se estivéssemos encarnados. Todos os espíritos desencarnados sabem o que precisam fazer para parar de sofrer aqui, só que muitas vezes esses mesmos espíritos, mesmo estando conscientes de suas necessidades, fingem não saber o que é para ser feito, só para estarem ao lado daqueles que precisam de ajuda.

– Meu Deus!

– As oportunidades aqui são como as oportunidades aí. Os mundos se assemelham, não há novidades, Ele assim os fez. Todos nós estamos ligados uns aos outros pelos milênios sem fim. A evolução é condição única para todos os espíritos. Muitos dos que estão aqui estão vagando pelo Vale do Arrependimento, e procuram uma porta para saírem do estado em que se encontram. As Colônias Espirituais estão abarrotadas de espíritos desejosos e suplicando oportunidades de evolução. Já não há mais espaço para ninguém. Outros núcleos estão sendo criados para auxiliar a todos. Sabe amigo, as religiões estão confusas. Os que pregam as palavras sagradas estão perdidos. Os que receberam a oportunidade de evangelizar estão mais perdidos ainda, perdidos pelas mazelas da carne e do corpo. O Divino está triste com os acontecimentos religiosos da humanidade. Foram tantos os enviados, tantas mensagens, tantos ensinamentos, tantas oportunidades, tantas religiões, tantos abnegados mensageiros que estiveram entre vocês deixando a palavra direcionadora, e nada... o que se vê são disputas, desrespeito, descrença, desunião, desamor, falta de caridade e de amor ao próximo, esqueceram das palavras e dos ensinamentos. Ele disse: "amai-vos como eu vos amei, e o que se vê?"

– Vejo que você está triste, Lucas.

– Nós estamos tristes, Osmar. Milhares de médiuns estão escrevendo a nova era, mas poucos são os leitores que absorvem nossos ensinamentos. Nós não precisaríamos estar aqui escrevendo novamente o que já foi escrito, repetindo o que já escrevemos, e já está entre vocês por muitos séculos. Mas parece que vocês precisam de mais informações, mais provas, mais cartas consoladoras, mais livros, mais ensinamentos, até quando estaremos escrevendo essas mensagens? Até quando? É triste para nós tudo o que está acontecendo. É triste para nós não sermos ouvidos. Vocês elitizaram o espiritismo. Tenho vergonha dos espíritas, Osmar. Intuímos nossos médiuns a abrirem um Centro Espírita para acolher quem sofre, para passar ensinamentos da vida após a vida, e o que vemos? Vemos Casas Espíritas disso, Centro Espírita daquilo, reunião espírita disso, reunião espírita daquilo, Casas Espíritas onde pobre não pode entrar, onde espíritos são escolhidos para trabalhar, como assim? Você é quem escolhe o espírito que precisa trabalhar? Você, dirigente, é quem escolhe que tipo de pessoa precisa de atendimento? Conheces os corações? Sabes a real necessidade daqueles que batem à sua porta? Quais os espíritos precisam do exercício da caridade para com o próximo para evoluírem? Vocês sabem como tudo funciona aqui? Por que não podem trabalhar espíritos humildes no seu Centro Espírita? Por que não pode trabalhar espíritos que foram escravos, índios, bandeirantes, desbravadores, descobridores, colonos, ancestrais, soldados que lutaram na guerra para defenderem seus familiares e amigos, generais arrependidos, médicos assassinos, políticos ladrões, espíritos que estão há séculos nas regiões de sofrimento e precisam auxiliar ao próximo para receberem a misericórdia divina. Onde é que irão trabalhar esses espíritos se não for em um Centro Espírita? Quem é você, dirigente espiritual, para saber que esse pode e esse não pode trabalhar no Centro Espírita que lhe foi confiado? Como assim? São Centros Espíritas ou extensões de seus desejos e arrogância? Se a sua missão é auxiliar os espíritos, por que escolhes quem vai trabalhar no Centro Espírita que os espíritos lhe permitiram abrir? És conhecedor da vida após a vida? Ou achas que as obras que lhe foram apresentadas até os dias de hoje são suficientes para compreenderes a vida após o desencarne?

Mantive-me em silêncio, percebi naquele momento que Lucas estava muito triste, muito chateado, embora suas palavras soavam serenas em meu coração.

Ele então prosseguiu:

– Osmar, todos falam de amor, mas poucos sabem o que realmente é o amor. Os livros que trago através de sua mediunidade e de outros médiuns mostram que a essência do amor está no Divino, Ele é o exemplo para todos. A história que vou narrar para você é uma história real, veja você e seus leitores como é que estamos organizando as coisas por aqui, para atender aos espíritos necessitados de evolução. Tudo tem um propósito nas leis de Deus, estamos seguindo as orientações do Divino para acolher, amparar e auxiliar tantos espíritos arrependidos dos erros cometidos nas suas encarnações. Muitas portas abertas por abnegados irmãos de luz estão se fechando, seja pela vaidade dos dirigentes espirituais, por pessoas despreparadas e que não conhecem o evangelho pregado por Allan Kardec e outros, e tantos outros motivos que nem vale a pena comentar. Asseguro-lhe que se Allan Kardec estivesse encarnado, se ele estivesse entre vocês, certamente estaria estudando e participando ativamente das diversidades religiosas que ligam os espíritos desencarnados a vocês. Ele era um estudioso, um pesquisador. Um mensageiro. Conheceu a humildade quando os espíritos começaram a lhe revelar uma nova religião, fez sua parte, façamos nós agora a nossa.

– Estou aqui, Lucas, para o que você precisar.

– Comece a escrever essa lição para todos os nossos amigos. Escreva com atenção e carinho, pois há mais mistérios entre a vida e a morte do que vocês possam imaginar. Seja você meu amigo, o mensageiro dos *Impuros – A Legião de Exus*.

Osmar Barbosa / Lucas

"Conhecerás a verdade, quando a verdade se descortinar à vossa frente."

Lucas

Ramsés

A noite é fria no Umbral, chove com intensidade. Ramsés está sentado dentro de uma árvore que tem seu tronco oco, seu diâmetro é de aproximadamente quatro metros. Há galhos secos e uma fuligem que tenta aquecer o lugar. Está muito escuro. Há várias árvores como essa nesse lugar. Vários espíritos se escondem durante a chuva dentro dos troncos ocos, alguns moram ali. Ramsés é morador desse lugar.

Protegido por uma capa que cobre todo o seu corpo, Lucas se aproxima e chama pelo rapaz.

– Ramsés? – grita ele.

– Meu Deus tem alguém me chamando aí fora, quem será?

– Ramsés – insiste Lucas. Saia daí rapaz, preciso falar com você.

– Nunca vi esse homem, quem será meu Deus? – diz Ramsés olhando discretamente para o vulto de Lucas, que o espera na entrada do tronco.

Lucas se aproxima ainda mais do local onde Ramsés está escondido.

Vou ficar em silêncio, quem sabe esse forasteiro não me vê e vai embora – pensa o rapaz.

Lucas está montado em um cavalo negro. Os relinchos do animal assustam todos os espíritos que estão naquele horrendo lugar sombrio e úmido. Amarrado ao seu cavalo, ele traz um outro cavalo também negro, mas de estatura menor.

Lucas desce do cavalo e se dirige ao tronco de árvore em que Ramsés está. Caminha a passos largos.

– Meu Deus ele está vindo na minha direção, o que faço meu Deus? – diz Ramsés amedrontado.

Lucas chega ao lugar e em um gesto rápido acende algo que traz na mão. A fraca luz ilumina todo o lugar.

Ramsés, assustado, recua e se encosta na parte do fundo do tronco se abaixando com medo de Lucas. Ele esconde seu rosto entre as mãos.

– Você é o Ramsés?

– Não fiz nada senhor – diz o rapaz assustado.

Ramsés é branco de pele clara, cabelos revoltos e longos. Usa uma roupa suja. Tem olhos castanhos, e está muito assustado com a presença de Lucas.

– Venha Ramsés, nós precisamos ir.

– Ir para onde, senhor?

– Não faça muitas perguntas agora, vamos sair desse lugar – diz Lucas lhe indicando a saída.

– Quem é o senhor?

– Eu me chamo Lucas e vim te buscar.

– Mas quem mandou o senhor me buscar?

– Não importa, venha, vamos sair logo daqui.

– Mas eu vivo aqui há muitos anos, os amigos daqui não fazem mal a ninguém, senhor.

– Será que eu vou ter que te pegar e lhe colocar em cima daquele cavalo?

– Não precisa, senhor, eu já estou indo.

– Pegue suas coisas.

– Eu não tenho nada não senhor.

– Então vamos, suba no cavalo.

– Para onde o senhor vai me levar?

– Vamos sair daqui, no caminho eu lhe explico tudo.

– É longe o lugar que vamos?

– Há quanto tempo você está aqui? – diz Lucas mudando a conversa.

– Perdi a conta, senhor. Mas sei que são muitos anos.

– Pois bem, vamos embora. Ande, venha!

– O senhor é algum emissário de Deus?

– Por que a pergunta?

– Porque eu tenho orado a Deus todos os dias para me perdoar e me tirar daqui.

– Quem sabe Deus ouviu as suas preces, meu rapaz!

– Será? Mas eu pensei que Deus mandasse anjos para nos socorrer. Eu imagino que o senhor não seja um anjo, ou é?

– Quem te disse essa bobagem?

– Alguns que moram nas outras árvores.

– O que eles dizem?

– Eles dizem que quando chega a nossa hora, Deus manda anjos para nos buscar e nos levar para o céu.

– E o que é que vocês precisam fazer para isso acontecer?

– Rezar todos os dias.

– E foi isso que você fez?

– Olha senhor, como é mesmo o seu nome?

– Lucas, meu rapaz, eu me chamo Lucas.

– Senhor Lucas, eu já perdi a conta de quanto tempo estou aqui. Só sei que eu estava sendo espancado por alguns vizinhos meus, daí eu adormeci e acordei aqui neste lugar. Acho que eles me trancaram aqui, porque todas as vezes que eu tentei sair daqui fui bloqueado por uns caras maus que vivem nas encostas e nas ruas desse maldito lugar.

– Suba no cavalo, vamos cavalgar.

– Sim senhor. Será que conseguiremos passar pelas encostas sem sermos incomodados?

– Faça silêncio, não fale nada agora, vamos cavalgar e sair daqui.

– Sim senhor.

Assim Lucas e Ramsés seguem pela trilha escura até se distanciarem do lugar.

Após algumas horas cavalgando, Lucas sugere que parem para o descanso dos animais.

– Vamos parar e descansar um pouco.

– Sim senhor.

Ramsés desce e cuida dos animais. Lucas se senta em uma pedra e tira da sacola que carrega consigo uma fruta que parece uma maçã, mas é de cor escura. Ramsés se aproxima.

– O que tens para comer?

– Tenho frutas, você quer?

– Sabe Lucas, se assim posso chamar.

– Pode me chamar de Lucas, rapaz!

– Tem muito tempo que eu não como nada, quando sinto fome eu como uma fruta azulada que tem naquelas árvores, mas elas me deixam enjoado, daí quase não como nada, veja como estou magro – diz Ramsés levantando a camisa e mostrando suas costelas, tamanha é sua magreza.

– Sim, você está esquelético, está horrível, Ramsés.

– É que nesse lugar não tem nada para comer, e a água é muito suja. Normalmente eu pego água de chuva para beber.

– Tens saudade das comidas de sua casa?

– Nossa, como tenho. A minha mãe preparava um feijão que olha, os vizinhos ficavam loucos com o cheiro. Depois que eles me espancaram e me trancaram nesse lugar eu nunca mais pude ver a minha família.

– Quantos moravam na sua casa?

– Moravam, como assim?

– Digo, quantos moram na sua casa?

– Eu, meu pai, meu irmão, a minha irmã e minha mãe.

– Você é o caçula dos meninos?

– Não, eu sou o mais velho dos meninos, a minha irmã é a caçula.

– Você não sabe mesmo há quanto tempo está aqui?

— Não, o tempo aqui parece que não passa. O sol não aparece para nos dizer se é dia ou noite, daí eu não sei mais nada. Só sei que tem bastante tempo que eu estou aqui. Tenho ódio das pessoas que me espancaram e me colocaram aqui.

Lucas pega em uma bolsa de couro que carrega consigo e de dentro ele tira uma pasta, e dela ele tira umas folhas de papel e começa a folhear. Curioso, Ramsés se aproxima para tentar ver o que contêm os escritos.

— Afaste-se por favor – diz Lucas.

— Perdoe-me senhor!

Após alguns minutos de silêncio, Ramsés interrompe a leitura de Lucas.

— Perdoe-me senhor, mas você pode me explicar o que está acontecendo?

— O que você quer saber?

— É que eu não estou entendendo muito bem o que está acontecendo entre eu e o senhor.

— Eu vim te buscar.

— Você vai me levar para casa?

— Sim.

— Então você veio me libertar?

— Podes achar que sim.

– Como assim?

– Eu vim para te tirar desse lugar e te apresentar uma nova vida.

– Eu agradeço, mas não quero outra vida, eu quero é voltar para casa e viver ao lado da minha família.

– Eu até vou te levar até a sua casa, se me for permitido, mas a escolha será sua. Aliás, as escolhas são sempre nossas.

– Não sei muito bem qual é o motivo que você tem para vir me buscar, Lucas, mesmo assim eu agradeço muito a você.

– Não tens que agradecer a mim.

– Foram as minhas preces que lhe enviaram até mim?

– Acredito que sim.

– Está escrito aí nesse papel que eu estava orando todos os dias?

– Não, nesses papéis estão os outros que eu terei que buscar para se juntarem a nós.

– Como assim outros?

– Outros iguais a você que precisam sair desse lugar.

– Então você é um anjo?

– Se preferes assim, podes me chamar de seu anjo.

– Olha, eu nunca fui muito de ir à igreja, a minha mãe e

a minha irmã iam todos os domingos, meu pai e meu irmão também não são muito de igreja. Eu até acredito em Deus e em anjos. Mas, sinceramente, me perdoe, você não tem cara de anjo, Lucas.

– E eu tenho cara de quê?

– Daqueles guardiões, sabe aqueles anjos negros.

– Então, posso me considerar um anjo negro.

– Você é um anjo negro, Lucas?

– Se você quiser me chamar assim, vou ficar contente.

– Meu Deus, por acaso você trabalha para o Outro?

– Que Outro?

– O Diabo.

– Olha para mim, olha direitinho e vê se eu tenho cara de Diabo, Ramsés?

– Não, já disse, você tem cara de anjo negro.

– Eu sou Lucas e só isso.

– Está bem. Acho melhor te chamar de Lucas mesmo.

– Prepare os cavalos, vamos continuar – diz Lucas guardando os papéis na pasta.

– Para onde vamos agora?

– Vamos seguir em frente, precisamos encontrar o Olindo.

– Quem é Olindo?

– Um rapaz que como você precisa de ajuda.

– E onde ele está?

– Ele está a quatro dias daqui.

– Quatro dias?

– Sim, quatro dias, deixe de reclamar e vamos andando, Ramsés.

– Não dá para você me deixar em casa primeiro e depois ir encontrar com esse tal Olindo?

– Esse tal Olindo tem muita coisa para nos contar.

– Olindo, Olindo, não conheço nenhum Olindo.

– Talvez não lembre, mas você o conhece sim.

– Tenho certeza que não conheço nenhum Olindo.

– Quando nos encontrarmos, espero que você se lembre dele. Agora vamos cavalgar porque a chuva se aproxima. Vista essa capa – diz Lucas retirando de uma sacola de roupas presa a seu cavalo uma capa preta que cobre todo o corpo magro de Ramsés.

– Obrigado, Lucas, eu estava mesmo com frio.

– Vamos – diz Lucas montando o seu cavalo e disparando na frente.

Após horas cavalgando, Lucas e Ramsés chegam a um

lugar um pouco mais claro. A chuva já havia parado há algum tempo. As árvores deste lugar apresentam folhagem, o que é pouco comum no Umbral. Há à frente uma linda gruta e dentro dela pode se ver que há uma pequena fogueira acesa.

– Olha, Lucas, tem alguém dentro daquela caverna.

– É para lá que estamos indo.

– Estou precisando descansar mesmo.

– Vamos para a gruta nos aquecer e descansar.

– Será que o seu amigo, o Olindo, está lá?

– Não, ele está a quatro dias daqui lembra?

– Eu tinha me esquecido disso.

– Venha – diz Lucas disparando em direção a luminosidade que sai da caverna.

Galopando rapidamente, Ramsés segue atrás.

Ao se aproximar da caverna, Lucas diminui a velocidade e passa a marchar com seu animal lentamente.

– Não faça barulho, Ramsés – diz Lucas colocando o dedo indicador sobre os lábios.

Obedecendo, Ramsés anda devagar e em silêncio.

Lucas desce do cavalo, e após prendê-lo num ramo de uma árvore próxima, ele caminha lentamente em direção a entrada da caverna.

Ramsés segue atrás em silêncio.

Lucas bate três palmas baixinho, muito perto da entrada. Uma linda jovem sai rapidamente da caverna e sorri ao ver Lucas. Ela corre e se joga nos braços dele.

Os dois sorriem felizes abraçados.

– Como vai, meu amigo? – diz a jovem.

– Estou bem, e você?

– Estou ótima, venham, entrem meninos, é perigoso ficar aqui fora essa hora.

– Venha Ramsés – diz Lucas.

Todos entram para a aconchegante e confortável caverna.

– Vejo que você ainda cuida muito bem desse lugar.

– Passo a maior parte do tempo por aqui Lucas, por isso cuido bem desse lugar. Ele é o meu cantinho.

– Como estão os trabalhos por aqui?

– O mesmo de sempre. E seu amigo quem é, não vai me apresentar?

– Desculpe-me, esse é o Ramsés – diz Lucas.

– Seja bem-vindo Ramsés, eu me chamo Carimã.

– A senhora é muito bonita, se me permites!

– Deixa de ser abusado, Ramsés – adverte Lucas.

Carimã é morena de cabelos longos, lábios carnudos e pele morena. Seus olhos são verdes como duas esmeraldas que enfeitam o lindo rosto da jovem mulher. A pouca roupa que ela usa realça a beleza de seu corpo escultural. Seu sorriso e dentes brancos realçam a beleza da linda Cabocla.

– Perdoe-me, Lucas, mas tem tanto tempo que eu não vejo uma mulher que fiquei assim boquiaberto.

Carimã envergonhada sorri e diz:

– Deixa ele Lucas. Venham meninos, sentem aqui que eu vou preparar um chá para tomarmos.

– Obrigado senhora – diz Ramsés se sentando próximo ao fogo.

O lugar é limpo e mágico, com tudo bem organizado parece uma morada, embora seja uma caverna. Há buracos nas paredes onde são guardados pequenos vasilhames feitos de barro.

Lucas se senta ao lado da linda Cabocla que carinhosamente prepara um chá para todos.

Enquanto aquece a água, Carimã conversa animadamente com Lucas. Ramsés admirado com a beleza da menina permanece calado, mal presta atenção no que eles estão falando. Sonolento, Ramsés dorme antes do chá ficar pronto.

– Olhe, Lucas, ele dormiu. De onde ele vem?

– Do Vale da Morte.

– Você o resgatou?

– Sim, vou me encontrar com outros seis e depois levá-los para a conscientização na entrada do portal.

– Dá para perceber que ele ainda se acha vivo.

– Às vezes demora para os desencarnados compreenderem sua real situação.

– Há quanto tempo ele estava por lá?

– Seis anos.

– Nossa, e só agora recebeu a oportunidade?

– Sim.

– Foi perdoado ou perdoou?

– Foi perdoado.

– Você vai levá-lo para ver o que fez, vai conscientizá-lo?

– Sim, mas primeiro vou pegar o seu cúmplice. Na verdade, ele e os outros terão uma oportunidade evolutiva e antes de explicarmos para eles como tudo funciona, vamos relembrar as encarnações mais importantes.

– Ele sabe disso?

– Sabe que estamos indo nos encontrar com alguém que ele julga não conhecer.

– Nome trocado, é isso?

– Sim, o cúmplice dele está usando o nome da encarnação anterior.

– Entendi. Tomara que dê tudo certo!

– Vai dar, acredito!

– A água está fervendo, vou preparar o chá.

– Obrigado.

Carimã prepara o chá, ela e Lucas saem da caverna para conversar e deixar Ramsés descansar. Eles se sentam muito próximos da entrada da caverna, por medida de segurança eles conversam baixinho.

– Venha Lucas vamos nos sentar ali – diz a jovem apontando para um lugar limpo ao lado da porta de entrada da caverna.

Lucas se senta ao lado da Cabocla.

– Você não vai voltar para a Colônia, Carimã?

– Estou terminando uma missão por aqui, assim que terminar volto para a Colônia.

– Falta muito tempo ainda para você terminar?

– Ainda tenho que resgatar duas meninas no Vale dos Suicidas.

– E por que ainda não foi lá para buscá-las?

– Ainda não tive a permissão.

– Hum – diz Lucas olhando para o vazio do Umbral.

– Você não tem receio de ficar aqui sozinha?

– Não, eu já me acostumei. E logo meus amigos chegarão.

– Eles estão vindo para ficar com você?

– Estavam aqui até ontem, foram buscar um rapaz para levarmos junto com as meninas para a Colônia. E você vai para onde?

– Vou até as portas da região trevas, lá está o amigo de Ramsés.

– Cuidado com aquela região.

– Meus amigos estão me esperando por lá.

– Que bom, Lucas.

– Quando será que tudo isso vai acabar, Carimã?

– Tudo isso o quê?

– Esse mundo de maldade. Quando será que os encarnados vão compreender que são eternos e que nada disso é necessário?

– Estamos confiantes na regeneração – diz a Cabocla com um leve sorriso no rosto.

– É, eu também – diz Lucas.

– Tudo se transforma, Lucas, tudo tem o tempo certo para acontecer. Ele que tudo sabe está organizando as mudanças necessárias para que possamos ascender a planos maiores. Logo todos nós que trabalhamos nas Colônias poderemos ir para outros planos e assim aprender ainda mais sobre as existências extracorpóreas.

– É nisso que confio, Carimã.

Ramsés se aproxima de Lucas e Carimã ainda sonolento.

– Perdoe-me Lucas e senhorita, dormi sem perceber.

– Acordou, rapaz?

– Sim, Lucas, perdoe-me por dormir assim sem avisar.

– Está cansado, rapaz?

– Estava, senhorita, agora estou bem melhor.

– Quer um chá? – pergunta Carimã.

– Se não for dar muito trabalho, aceito sim.

Carimã se levanta e vai até a pequena fogueira para pegar uma caneca com chá para Ramsés.

– E aí rapaz, vamos seguir viagem? – diz Lucas.

– Sim, a hora que você quiser podemos partir, Lucas.

– Tome o seu chá e vamos partir em seguida, precisamos nos adiantar e encontrar Olindo.

– Sim senhor.

Após tomar o chá, Ramsés e Lucas se despedem de Carimã.

– Minha amiga, tome cuidado aqui sozinha – diz Lucas.

– Pode deixar, breve terei companhia.

– Muito obrigado pelo chá, senhorita – diz Ramsés.

– Boa viagem para vocês rapazes.

Após um longo e caloroso abraço, Lucas e Ramsés seguem viagem pelas estreitas ruas do Umbral. E após três dias chegam a um vale muito escuro e frio.

– Nossa que lugar horroroso, Lucas.

– Sim, esse lugar é horrível.

– Olhe, lá embaixo tem dois outros cavaleiros como nós, eles estão sentados em seus cavalos. Será que estão nos esperando? – diz Ramsés.

– Sim, são conhecidos meus.

– São seus amigos?

– Sim, são amigos. Venha, vamos nos aproximar.

Cavalgando rapidamente, Lucas e Ramsés se encontram com dois outros cavalheiros que esperam à beira da estrada.

– Olá amigos! – diz Lucas se aproximando.

– Como vai, Lucas?

– Olá Lucas!

Ramsés se aproxima.

– Oi senhores!

– Como vai, rapaz?

– Estou bem, senhores.

– Ele está pronto?

– Sim, Lucas, nós já o preparamos.

– Então não vamos perder tempo, vamos buscá-lo imediatamente.

– E o rapaz aí, está preparado para o reencontro?

– Quem, eu?

– Sim, você não é o Ramsés? – pergunta Negro.

– Eu nem conheço esse tal de Olindo.

– Ele não sabe de nada, Lucas?

– Não, ele vai saber assim que o reencontrar.

Sem entender nada, Ramsés fica calado, embora desconfiado.

– Então vamos, senhores.

Todos caminham em direção a uma mata ressecada e escura.

– Nós vamos conseguir passar por esse lugar? – pergunta Ramsés desconfiado.

– Venham, há um atalho por aqui – diz Negro se dirigindo para uma parte lateral da floresta ressecada.

Todos seguem Negro.

Logo à frente, a passagem para os cavalos é impossível.

– Senhores, desçam de seus cavalos, vamos caminhar agora.

Todos descem e caminham em direção a um lago escuro de águas negras.

– Onde ele está, Negro?

– Logo a frente, Lucas!

– Vejam, lá está ele.

– Olindo – chama o Negro.

– Sim – responde o rapaz ao longe.

– Venha, seus amigos chegaram.

Caminhando rapidamente, Olindo se aproxima de todos.

Ramsés não acredita no que está vendo. Envergonhado, ele se vira e começa a balbuciar algo que ninguém consegue entender.

Olindo olha para Lucas e o cumprimenta com um gesto de cabeça. Ele se aproxima de Ramsés e olhando fixamente para ele mostra-se triste e reprova a visita inesperada.

– O que você está fazendo aqui, Ramsés?

– O que você está fazendo aqui pergunto eu! Como você veio parar nesse lugar? Por que você está aqui?

– O culpado de eu estar aqui é você, Ramsés.

– Eu?

– Sim, você me convenceu a fazer o que fizemos com a Marília.

– Eu não te convenci a nada, você fez porque quis.

– Foi você, seu desgraçado, que me colocou aqui.

– Você fez porque quis, eu não te obriguei a nada.

Lucas se aproxima.

– Senhores agora não adianta vocês ficarem discutindo o que passou. Vamos sair daqui imediatamente. Depois vocês conversam e se entendem.

– Sim, vamos sair daqui agora mesmo – diz Negro. – Olindo, esse é o Lucas, ele é quem veio te buscar.

– Muito prazer, Lucas, e obrigado – diz Olindo estendendo a mão e cumprimentando Lucas.

Sem olhar mais para Ramsés, Olindo caminha à frente, ao lado do Negro em direção aos cavalos. Rapidamente todos montam e saem do lugar.

– Você não vai, Luiz?

– Não, vou ceder o meu cavalo para o Olindo, depois o Negro volta para me buscar.

– Faça isso, Luiz, vou levá-los até um lugar seguro e volto para te buscar – diz o Negro.

– Até breve, amigo – diz Lucas apertando a mão de Luiz, o outro guardião que os ajudou.

– Obrigado, Luiz, por ter me ajudado – diz Olindo.

– Vão rapazes, estou seguro aqui.

Assim, Negro, Lucas, Olindo e Ramsés galopam para deixar para trás aquele lugar horrível.

Após duas horas cavalgando, Negro ergue o braço direito num sinal que todos devem parar, há algo na estrada que os impede de continuar.

– O que houve, Negro?

– Um grupo de arruaceiros está a nossa frente.

– Não podemos seguir? – pergunta Olindo.

– Vocês não podem seguir, se escondam atrás daquele monte que eu vou à frente para resolver nossa passagem – diz Negro.

– Venham rapazes – diz Lucas se afastando.

Negro então segue para o encontro com os espíritos arruaceiros que estão fechando a estrada.

– Olha quem está vindo ali! – diz um dos espíritos imundos.

– É o Negro – diz o líder de nome Lúcio.

Negro se aproxima lentamente.

Há aproximadamente sessenta espíritos malignos entre homens e mulheres. Alguns estão vestidos com roupa preta, outros com roupas preta e vermelha, as mulheres estão bêbadas e vestidas como ciganas. Todos fumam. Alguns têm garrafas de bebidas as mãos. Ele desce de seu cavalo e se aproxima do líder do grupo.

– Boa noite Negro.

– Boa noite Lúcio. O que vocês estão fazendo por essas bandas?

– Viemos ver novos ares, não podemos?

– Você já está cansado de saber, Lúcio, que existem limites e lugares onde vocês não têm permissão para transitar.

– Nós somos aproximadamente sessenta amigos e amigas. Você acha mesmo que vai nos expulsar daqui, Negro?

– Não é questão de expulsar, são as regras, as combinações que temos com vocês.

– Hoje eu decidi que não há regras, meu amigo, hoje eu quero conhecer coisas novas, quero me divertir pelas bandas de cá, entende?

– Somos uma legião, como sabes, Lúcio, não quero chamar os meus amigos para expulsá-los daqui. Vou pedir educadamente que se afastem dessa região que nos pertence. Esse é o meu domínio e, sendo assim, tenho poderes sobre ele. Você conhece perfeitamente os meus poderes, sabes muito bem o que posso fazer.

– Calma meu amigo, nós não queremos briga. Só estávamos passeando.

– Então vá passear no seu domínio.

– Pessoal, vamos embora, o Dono da Rua pede que a gente vá embora – diz Lúcio.

– E nós vamos obedecer, chefe?

Lúcio olha para o Negro com olhar desafiador. Negro se mantém de pé e firme em sua decisão.

– Vamos embora pessoal – diz Lúcio, levantando-se e se afastando do Negro.

Todos saem lentamente olhando para o Negro, que se mantém ereto e sério.

As mulheres esbarram no Negro propositalmente e se oferecem para ele.

Todos se afastam. Negro então faz um sinal para Lucas mostrando que o caminho está livre.

Olindo e Ramsés galopam em direção a Negro seguidos por Lucas.

E, ao se aproximarem, Olindo logo pergunta quem eram aqueles espíritos.

– São espíritos que vivem em outra região.

– O que eles queriam aqui, Negro?

– Confusão, só isso!

– Observei que você mantém firme seu domínio sobre essa região, meu amigo – diz Lucas.

– O Umbral é subdividido, assim cada um cuida do seu espaço. Escolhi viver aqui, escolhi ser o Dono das Ruas e tenho meu domínio sobre elas.

– Cada um na sua, não é amigo?

– Sim Lucas, cada um na sua. Meus amigos, o caminho agora está livre para vocês seguirem. Qualquer necessidade assoprem esse apito que vou deixar com vocês. Estarei por perto sempre que precisar – diz Negro, entregando nas mãos de Lucas um apito feito de osso de algum animal.

– Obrigado por sua ajuda até aqui, meu amigo – diz Lucas.

– Sigam em frente. Se precisarem já sabe, é só tocar o apito.

– Pode deixar – diz Lucas.

– Olindo, cuidei de você por um período, agora tens a oportunidade redentora de sua vida. Converse bastante com seu amigo aí e decida por sua felicidade. Obrigado pela oportunidade que tive de lhe ajudar e se precisar de algo estou por aqui.

Olindo desce do cavalo e abraça o Negro.

Ramsés observa tudo calado.

– Agora montem em seus cavalos e sigam adiante.

Assim Lucas, Olindo e Ramsés deixam para trás o amigo Negro, o Senhor das Ruas.

Após três dias de cavalgada, eles chegam a uma clareira onde o sol começa a nascer.

– Esqueci-me de quantos anos eu não via o sol – diz Ramsés.

– Eu também – disse Olindo.

– Rapazes, vamos nos sentar à beira daquele lago cristalino ali e nos banhar. Precisamos ter uma conversa.

Desconfiado, Ramsés reluta.

– Não preciso tomar banho, Lucas.

– Mas nós queremos, não é Olindo?

– Sim, preciso de um bom banho.

– Vocês estão viajando há três dias e nem ao menos se olharam, como conseguem isso? – diz Lucas.

– Ele é que não fala comigo – diz Ramsés.

– Não tenho motivos para olhar na sua cara, Ramsés – diz Olindo.

– Senhores, vamos nos sentar à beira do lago e conversar.

Obedecendo a Lucas, Olindo e Ramsés se sentam à beira do lago onde o sol brilha mais intensamente e começam a mexer com a água.

– Ramsés, sei que você está preocupado com o que vamos conversar. Na verdade, já está na hora de termos essa conversa. Olindo não é o responsável por você estar aqui. Somos os únicos responsáveis por tudo aquilo que fazemos. Sei que você está desconfiado de tudo o que viu e que sente, sei também que está com muitas dúvidas e chegou a hora das revelações – diz Lucas.

– Sei o que aconteceu comigo, Lucas – diz Ramsés. – Que revelação você quer me fazer, meu amigo?

– A de que você já não pertence mais ao mundo dos encarnados – diz Lucas.

– Como assim?

– Você está morto, seu idiota – diz Olindo se aproximando.

– Eu, morto? Como assim, morto? Estou me sentindo bem, embora magro porque não consigo comer.

– Ramsés, você foi assassinado por aqueles homens após ter estuprado e assassinado a menina Marília. Você e Olindo foram mortos a pauladas pela multidão enfurecida, naquele fatídico dia.

– Deve haver algum engano, Lucas. Eu me lembro que eles me bateram e me trancaram naquele lugar escuro, lembro que desmaiei e acordei aqui.

– Você não desmaiou, seu burro, você morreu, assim como eu – diz Olindo. – E o culpado da minha morte foi você, foi você que me convenceu a fazer o que fizemos com a menina, e aquele lugar escuro que nós fomos trancados não era um quarto escuro, era nada mais e nada menos que o nosso caixão.

– Você fez porque quis, não vem com esse papo não – diz Ramsés.

– Senhores, não adianta nada ficarem agora trocando acusações, vocês erraram muito com o que fizeram e sabem disso.

– Bem que eu estava desconfiado que alguma coisa havia acontecido comigo. Eu não ouvia mais as pessoas, as únicas companhias que tinha eram aqueles mendigos que moravam nas árvores. Eu não comia, não sentia sede. Estranho isso, não é Lucas?

– Você está em outro plano, Ramsés.

– Como assim outro plano, estou no inferno?

– Isso aqui parece com inferno?

– Não, aqui não, mas onde eu estava só faltou o caldeirão fervendo e o enxofre.

Olindo ri da desgraça de Ramsés.

– Bem feito, seu verme – diz o rapaz.

– Senhores, vamos parar com isso, todos os dois são culpados e se não modificarem seus corações eu não vou conseguir tirá-los daqui.

– É por isso que você veio até nós, Lucas?

– Por que acham que eu estou aqui? – pergunta Lucas.

– Acho que Deus ouviu as minhas preces, como já conversamos.

– E você Olindo, por que acha que eu estou aqui?

– Acho que é porque eu me arrependi do que fiz a aquela menina.

– Os senhores estão certos. O perdão é o arrependimento sincero e o que liberta o espírito do sofrimento.

– Quer dizer que basta nos arrepender que estamos salvos?

– Se fosse assim, esse lugar não estaria lotado de espíritos sofrendo.

– Aconteceu mais alguma coisa que permitiu você vir até aqui para nos ajudar?

– Sim.

– Você pode nos contar?

– Ainda não.

– Por que não podemos saber?

– Por hora os senhores já sabem o suficiente. Agora é necessário que vocês se perdoem para que eu possa dar prosseguimento ao auxílio que me foi recomendado aos senhores.

– Vou ter que perdoar esse desgraçado?

– Sim Olindo, você terá que perdoar Ramsés.

– Não vem com esse papo de perdão não Lucas, eu não fiz nada a esse cara, ele fez o que fez com a menina porque ele quis fazer – diz Ramsés.

– Você nunca foi meu amigo Ramsés. Fui criado a seu lado, meus pais sempre me disseram que você era como um filho para eles, assim eu sempre achei e te tratei como um irmão. E olha só o que você fez comigo.

– Não te obriguei a fazer o que você fez com a Marília, aliás você foi quem apertou a garganta dela até ela desfalecer.

– Fiz isso porque você mandou eu apertar a garganta dela para ela parar de gritar.

– Senhores, o que passou, passou, eu preciso que vocês se perdoem – intercede Lucas.

Ramsés abaixa a cabeça e começa a chorar.

– Por que você está chorando, Ramsés?

– Eu desconfiava que algo terrível havia acontecido comigo, Lucas, eu até desconfiava que estava morto.

– Choras por que estás morto? – pergunta Lucas.

– Sim, também por isso.

– Por que mais estais chorando?

– Quero pedir perdão a você, Olindo por ter te envolvido na morte de Marília. Aliás, seu nome é Ricardo, não sei por que tenho que te chamar de Olindo.

Olindo assiste a tudo calado.

– Acho que já está na hora dos senhores se abraçarem e se perdoarem – diz Lucas.

Ramsés se levanta e aproximando-se de Olindo o abraça.

Ambos choram o arrependimento.

– Assim é melhor – diz Lucas feliz.

– Lucas, posso lhe perguntar uma coisa?

– Sim Olindo.

– Marília nos perdoou?

– Sem o perdão dela eu não estaria aqui – diz Lucas.

Ramsés olha para Olindo e abraçados choram ainda mais.

– Marília, ao desencarnar, foi levada para uma Colônia a qual eu pertenço. Passados alguns anos, ela finalmente perdoou vocês pelo que fizeram a ela na última vida. Assim, o perdão de Marília se estendeu até vocês.

– Nós poderemos encontrar com ela e pedir desculpas pessoalmente?

– Infelizmente ainda não, Olindo.

– Se ela nos perdoou, por que não podemos encontrá-la?

– Ele perdoou você, mas os seus pais ainda não lhes perdoaram, Ramsés.

– Eu tinha me esquecido do Sr. Dirceu e Dona Dina – disse Ramsés.

– Vocês se esqueceram que Marília era filha única?

– Nossa, imagino a dor deles – disse Ramsés.

– Pois é – disse Lucas.

– Podemos reparar essa falta, Lucas?

– Qualquer falta pode ser reparada, para isso existe a lei da reencarnação.

– Podemos reencarnar e auxiliá-los a esquecer a dor?

– Não, neste caso não.

– O que vai acontecer conosco então, Lucas?

– Vocês irão receber uma oportunidade reparadora.

– Sério – diz Olindo.

– Sim, vocês vão poder reparar seus erros.

– Erros, como assim? Foi só isso que fizemos.

– Vocês acham que estuprar uma menina de onze anos e matá-la da forma que fizeram é pouco?

– Não, mas assim ela também não morreu, assim como nós não morremos – diz Ramsés.

– Que lógica idiota Ramsés, vocês tiraram a vida da menina Marília e mataram as esperanças de seus pais. Se querem saber, Marília tinha uma linda missão pela frente, e vocês a impediram. Essa não se recupera. Marília vai recuperar a vida, mas os anos de sofrimento que seus pais estão passando, esses vocês vão ter que reparar.

– Deus podia perdoar esse erro nosso também – diz Olindo olhando para baixo.

– Deus já lhe mostrou o Seu perdão quando eu cheguei até aqui.

– Lucas, quanto tempo ficamos aqui sofrendo?

– Seis anos.

– Só eu sei o que passei nesse maldito lugar – diz Olindo.

– Ainda bem que estamos livres.

– Vocês ainda não estão livres. Vocês só ficarão livres quando conseguirem o perdão dos pais e familiares de Marília, quando repararem definitivamente o que fizeram – diz Lucas.

– Meu Deus! – diz Ramsés.

– O que precisamos para receber esse perdão, Lucas?

– Temos que encontrar ainda outras pessoas. Assim que todos estiverem reunidos, vou lhes explicar o que vocês poderão fazer para libertarem-se do pecado que cometeram.

– Outras pessoas, como assim? – pergunta Olindo.

– Minha missão é reunir sete espíritos que estão em regiões diferentes do Umbral. Vou resgatá-los e oferecer a todos uma única oportunidade redentora.

– E onde estão os outros?

– Por perto.

– Então vamos logo – diz Olindo.

– Vamos sim, após o banho que necessito. Tragam os cavalos para banhar-se, pois vamos passar a noite aqui. Amanhã bem cedo partiremos para o encontro com os demais espíritos.

– Pode contar comigo, Lucas – diz Olindo.

– Comigo também – diz Ramsés.

Nesse momento, Ramsés olha para Olindo e ambos se abraçam chorosos e arrependidos.

– Agradeço o perdão de ambos e sei que posso contar com vocês para me ajudarem na missão que me foi confiada.

– Pode contar conosco, Lucas. Precisamos consertar o que fizemos de errado na nossa vida anterior – diz Ramsés em lágrimas.

– Isso mesmo, Lucas, nós vamos consertar o que fizemos de errado, pode confiar – diz Olindo.

– Acredito no perdão e principalmente no amor, meus amigos.

– Por que eu não pensei nisso antes? – diz Ramsés.

– O tempo é o remédio para tudo – diz Lucas – Sequem as lágrimas, e vamos seguir em frente.

– Obrigado por você ter me ajudado, Lucas.

– Isso mesmo, obrigado Lucas – diz Ramsés.

– Estamos no começo de uma longa viagem, meus amigos – diz o mentor calmamente.

– Deus nos perdoou, e isso já é um bom começo – diz Olindo.

– Posso te chamar de Ricardo, como sempre chamei, Olindo?

O silêncio toma conta do lugar, só o que se ouve é o soluçar de Ramsés que não consegue conter as lágrimas da gratidão.

Lucas observa tudo calado, ajeitando uns gravetos e preparando uma fogueira.

Ninguém interfere, pois as lágrimas foram companhias dos longos seis anos que Ramsés e Olindo sofreram sozinhos no Umbral.

Lucas banha-se e, seguindo o amigo, Ramsés e Olindo se banham e lavam os cavalos.

Após a fogueira acesa, Lucas providencia um chá quente para mais uma noite fria nas proximidades do Umbral.

– Olindo, posso te perguntar uma coisa?

– Sim Ramsés.

– Por que o Lucas te chama de Olindo se seu nome é Ricardo?

– Sei lá, mas quando me encontrou ele me chamou de Olindo e eu reconheço esse nome como sendo meu. É algo que não sei explicar. Na verdade eu até gosto de ser chamado de Olindo, assim consigo esquecer o Ricardo que estuprou e matou uma inocente.

– Esse nome é da sua encarnação anterior. E é esse nome que todos vão te chamar por aqui – diz Lucas se aproximando.

– Todos quem?

– Todos que encontraremos pelo caminho – diz Lucas.

– Então você não se incomoda se eu também passar a te chamar de Olindo, Ricardo? – diz Ramsés.

– Não sou mais Ricardo, eu me reconheço como Olindo. E como eu já disse, quero esquecer que um dia eu tive esse nome.

Assim todos descansam preparando-se para mais um dia.

"O desejo do bem é o alimento da felicidade."

Lucas

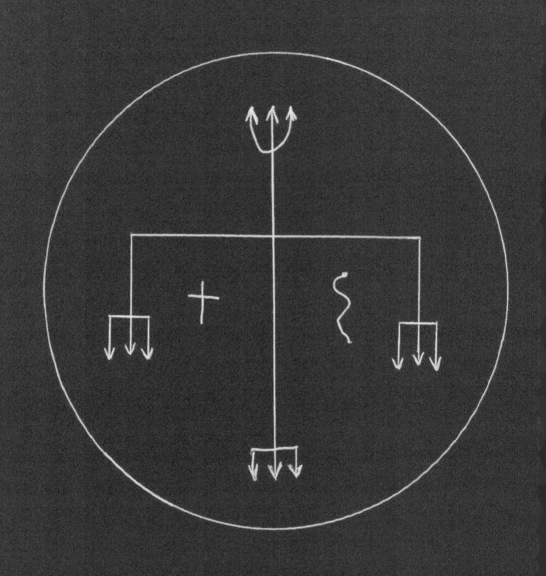

Aramís

Os raios tímidos do sol insistem em clarear a densa região em que Lucas, Ramsés e Olindo estão. O frio diminui e Lucas prepara um novo chá para aquecer aquela manhã.

– Bom dia rapazes!

– Bom dia Lucas – diz Olindo acordando.

Ramsés, com o rosto inchado, permanece calado.

– Está tudo bem, Ramsés?

– Não, Lucas, não está tudo bem não.

– O que houve?

– Ontem quando nos deitamos para dormir, foi a hora em que tomei consciência da minha realidade. Estou morto mesmo, Lucas?

– Para a vida de encarnado, sim, para a vida eterna, não.

– Quer dizer que aquelas pessoas que estavam me espancando me mataram?

– Sim, você foi assassinado pela multidão revoltada pela morte de Marília.

– Isso não é bom, Lucas, isso é contra a lei de Deus. Eles poderiam ter me prendido e me condenado, mas me matarem é contra a lei de Deus, eu acho. Sei que o que fiz não tem perdão, afinal eu estuprei e matei uma criança inocente. Mas eram instintos que eu tinha que não conseguia controlar. Era algo mais forte que eu.

– Responda uma coisa, Ramsés?

– Sim, Lucas.

– Quando você estava matando Marília quais eram os seus sentimentos?

– Havia algo dentro de mim que dizia: "não faça isso". Mas eu não dei ouvidos, como lhe disse, era algo mais forte que eu.

– E você mesmo assim o fez, não é?

– Sim, não dei ouvidos a esses sentimentos, ou melhor, aos meus pensamentos.

– O mesmo aconteceu com as pessoas que te lincharam, elas agiram pelo ódio sem ouvir o que diziam seus corações. Você sente raiva delas?

– Não, acho que elas não pensaram no que estavam fazendo. Pensando como eles eu até faria o mesmo, eu acho!

– Pois bem, se elas não pensaram, e você não as condena, não há o que reparar.

– Posso ser sincero, Lucas?

– Sim, por favor.

– Embora eu tenha sofrido muito tempo aqui, hoje estando ao seu lado eu alimento esperanças para a minha vida. Descobri que cometi um grave erro quando não ouvi o que dizia o meu coração, aliás, eu vivo com esse sentimento há muitos anos, mesmo sem perceber eu sei que errei. Agradeço a Deus por existirem pessoas como você, que vivem para ajudar quem está em sofrimento.

– Ramsés, meu amigo, todos têm oportunidades infindas. Todos são assistidos pelo Pai. Assim não condene quem te feriu, não vale a pena olhar para trás. Olhe para frente. Enxergue o que lhe será ofertado como a redenção de seu espírito, assim só depende de você consertar tudo o que fez de errado até os dias de hoje. O amanhã é uma página em branco, escreva o melhor que puder, meu amigo!

– Eu sei, Lucas, sinto que algo muito bom vai acontecer comigo agora. Sei que tudo vai melhorar.

– Tenha certeza disso. Ele que tudo sabe e tudo vê me mandou para lhe auxiliar e auxiliar os outros espíritos que se ligaram a nós durante essa jornada. Estamos no Universo para ajudar sempre, Ramsés, e é auxiliando que somos auxiliados. Sendo assim, receba essa oportunidade como única, agarre-se a ela e evolua.

– É isso que quero fazer, Lucas – diz Olindo, que ouvia a tudo atento – É isso que penso todos os dias!

– Obrigado por me ajudar, Lucas – diz Ramsés.

– Ao fim da jornada você vai compreender tudo o que estamos vivendo e o que ainda viveremos juntos, rapazes.

– Vamos logo atrás do restante do pessoal? – diz Ramsés.

– Vamos sim, arrumem os cavalos e vamos seguir em frente, mas antes devo ensinar aos senhores que nada se vence sem oração, por isso convido os amigos a orarem comigo.

– Sim, claro que sim. É bom que aprendemos como fazer – diz Olindo.

– Nada se vence sem fé, meus amigos – diz Lucas se levantando.

Ramsés e Olindo repetem o gesto.

Lucas estende as mãos para pegar as mãos de Ramsés e Olindo e assim fecharem um pequeno círculo. Um círculo de oração.

Lucas profere a prece:

Senhor Deus, estamos aqui para cumprir nossos destinos.

Rogamos vossa misericórdia e vossa proteção para os perigos que iremos enfrentar.

Pedimos luz para nossa caminhada e proteção para cumprir nosso destino.

Que não nos falte fé e coragem para superar os desafios que se apresentarem à nossa frente.

Jesus, guarda-nos das ciladas, dos maus espíritos e das influências que podem nos fazer desistir do amor.

Confiamos essa jornada a Ti, Senhor dos Senhores.

Seguiremos firmes e confiantes que juntos somos a fortaleza que destrói os inimigos do amor.

Que vossa benção esteja sobre nós e sobre os Impuros.

Graças a ti Senhor.

Amém.

– Amém – dizem Ramsés e Olindo.

– Venham rapazes, peguem seus cavalos – diz Lucas arrumando uma pequena sacola onde carrega suas coisas no lombo do animal.

Ramsés e Olindo montam em seus cavalos.

Assim, Lucas e seus socorridos seguem pelos estreitos caminhos do Umbral.

São trilhas bem estreitas dentro de uma floresta de gravetos secos. A escuridão aumenta a cada passo dado pelos cavalos. Olindo se aproxima de Ramsés, demonstrando medo do lugar. Todos seguem muito próximos uns dos outros e o silêncio impera na lenta cavalgada.

Após várias horas cavalgando em silêncio, Lucas convida os amigos a uma parada para o descanso.

– Vamos descansar, e descansar os animais aqui, rapazes?

– Que lugar é esse, Lucas? – pergunta Ramsés.

– Essa é uma região abandonada do Umbral.

– Mas ela tem nome?

– Sim, Vale dos Esquecidos.

– Alguém vive nesse lugar? – pergunta Olindo.

– Em todos os lugares do Umbral há espíritos, meus amigos. Não há espaços vazios no Universo. Até mesmo onde imaginamos o nada, há espíritos trabalhando.

– Esse tal Aramís é o mosqueteiro, aquele do conto dos três mosqueteiros?

– Que pergunta tola, Ramsés – diz Lucas.

– É uma brincadeira, para descontrair nossa viagem – diz o rapaz envergonhado.

Todos riem.

– Na verdade, Aramís é o apelido do amigo que vamos resgatar. Seu nome verdadeiro não poderemos revelar.

– Eu sabia que tinha alguma coisa a ver com o Mosqueteiro – diz Ramsés.

– Por que ele tem esse apelido, Lucas?

– Ele foi um político muito famoso na última encarnação e se elegeu várias vezes com a promessa de tirar dos ricos para alimentar os pobres. Por isso, o apelido de um dos mosqueteiros.

– Pelo visto ele fez tudo errado, não é Lucas? – diz Olindo.

– Por que você acha isso?

– Se foi político, se elegeu-se para ajudar as pessoas e está num lugar desse, boa coisa ele não fez.

– Pois é, colhe-se na vida espiritual a semeadura da vida corporal.

– Se eu soubesse que existia uma vida após a minha vida, podes ter certeza que eu não tinha feito a metade do que fiz quando estava vivo, Lucas – diz Olindo.

– Mas seu coração lhe avisou que você não deveria ter feito o que fez, não foi? – diz Lucas.

– Sim, mas eu não dei importância aos meus sentimentos e muito menos aos meus pensamentos. Eu achava que era coisa da minha cabeça. Eu reagia aos meus instintos da mesma forma que Ramsés.

– Pois deveria ter ouvido seus sentimentos, e aquela voz que diz: não faça isso, não vá por aí e etc. Porque é ali que Deus fala com Seus filhos, é dentro de seus remorsos que Deus lhes adverte das coisas que não deveriam fazer.

– Pois é, isso nós não ouvimos, fizemos ouvidos de mercador, e olha só onde estamos – diz Olindo.

– Mas o tempo conserta tudo, rapazes, tenham fé.

– Estou curioso para conhecer e saber a história desse tal Aramís – diz Ramsés.

– É importante deixar registrado aqui que o nome do político ao qual vocês irão conhecer está trocado por motivos óbvios. Como já falei anteriormente, não queremos polemizar e muito menos atrapalhar o médium que está escrevendo essa história. Não podemos prejudicar quem tanto se dedica ao amor ao próximo.

– Eu acho isso justo – diz Olindo.

– Nossas histórias serão contadas para alertar aqueles que pensam em cometer erros sem ouvirem seus corações, é isso Lucas? O intuito do livro é relatar como são as coisas aqui no Umbral, como é a vida após a vida e, assim, alertar todos aqueles que entraram em contato com essa obra, é isso Lucas? – insiste Ramsés.

– Nós concordamos com isso, Lucas, pode ficar à vontade – diz Olindo participando da conversa.

– Obrigado amigos, agora vou seguir sozinho e a pé por aquela trilha ali à esquerda. Vou ao encontro de Aramís, que está um pouco à frente desse lugar. Fiquem aqui me esperando. Se eu demorar não se preocupem. Eu volto.

O pensamento de vocês é o correto, é para isso que passo para esse médium essa história. Estamos aproveitando tudo que vocês receberam para ensinar e alertar aos encarnados, mostrando e instruindo os leitores dessa história. Queremos que todos compreendam as possibilidades infinitas que existem após a vida terrena. E o mais importante, a vigilância na vida atual.

– Lucas, ficaremos aqui a te esperar, agradecemos por suas instruções e, como já dito, concordo plenamente que esses ensinamentos sejam levadas a mais e mais pessoas – diz Ramsés.

– Até breve rapazes – diz Lucas se afastando.

Lucas segue caminhando em direção a uma trilha escura e estreita como as outras ao redor. Olindo e Ramsés, após prenderem seus cavalos em galhos secos de uma pequena árvore, se sentam e ficam calados sem saber quais os reais motivos daquela viagem. Em silêncio ficam refletindo à espera de Lucas. Eles na verdade sentem medo do lugar.

Passadas mais de duas horas, Ramsés e Olindo começam a ficar preocupados com a demora de Lucas.

– Lucas está demorando muito, não achas Ramsés?

– Fique tranquilo, ele prometeu que vai voltar.

– Onde será que ele está?

– Não faço ideia. Ele entrou por aquela trilha ali – diz

Ramsés, apontando com o dedo indicador para o caminho seguido por Lucas.

– Vamos esperar mais um pouco e, se ele demorar mais, um de nós segue a trilha para ver se o localiza.

– Acho melhor esperarmos, não conhecemos esse lugar. E além disso não foram essas as instruções dele. Fique calmo, ele nos protege. Durante o tempo em que vivi naquele lugar horroroso aprendi a respeitar a escuridão. Dela saem coisas inimagináveis – diz Ramsés.

– Como assim?

– Uma vez eu tentei sair daquele lugar que me aprisionava, eu até consegui me distanciar bastante, mas aí percebi que dois caras estavam me seguindo. Iniciou-se ali uma perseguição.

– E o que você fez?

– Eu me escondi e esperei eles se aproximarem. Quando chegaram bem perto de mim, sem que me vissem, pude olhar para seus rostos.

– E o que eram?

– Não sei definir muito bem o que são, só sei que, por medo deles, voltei correndo para o lugar em que eu estava.

– Eles eram tão horríveis assim? Eram monstros, o que eram?

– Eles não tinham dois olhos como nós. Eles tinham uns seis olhos no rosto. Um maior no centro da testa. Seus cabelos eram horríveis, desorganizados, jogados sobre a pele negra e suja. Os dentes eram enormes e saiam da boca junto com a baba.

– Eles babavam?

– Muito. Diziam palavras sem nexo. Pude perceber que falavam uma outra língua. Suas pernas eram finas como pedaços de gravetos. Não tinham nádegas e muito menos seios. Eram seres horríveis... Uma coisa eu tive certeza.

– O quê?

– Eram eles que me vigiavam, e todas as vezes que eu tentava fugir eles me perseguiam.

– E o que você fez?

– Parei de tentar fugir, só isso. Não sei onde eles moravam naquele lugar, só sei que todas as vezes que eu tentava me afastar de lá eles me perseguiam.

– Lucas afastou eles quando foi ao seu encontro?

– Não sei, só sei que o Lucas me convidou a seguir com ele, e esses espíritos horríveis não apareceram. Acho que o Lucas os espantou. Bem lembrado você falar disso. Estranho, eles não perturbaram o Lucas.

– Você tem medo desse lugar?

– Não muito. Por que pergunta, você não tem?

– Não tenho muito medo daqui – disse Olindo.

– O lugar que te encontramos é bem melhor do que o lugar que eu estava quando Lucas me encontrou, eu tenho certeza disso – diz Ramsés.

– Uma vez apareceu uma mulher muito bonita lá onde eu vivia, mais bonita que Carimã, aquela moça que encontramos lá atrás.

– Que moça lá de trás?

– Esqueci, você ainda não estava conosco quando Lucas me levou para conhecer a bela Cabocla chamada Carimã.

– Tem alguém que é bonito neste lugar?

– Sim, conheci a Carimã e ela é realmente muito bonita.

– Ela é amiga do Lucas?

– Sim, ela é como o Lucas, pude ouvir eles conversando e ela disse que estava naquela caverna porque estava esperando por outros espíritos, sei lá.

– E essa tal moça que apareceu para você lá onde você vivia, o que ela queria?

– Ela não me disse muita coisa, ela era misteriosa. Só me pediu para banhar-se nas águas turvas daquele lago, depois foi embora sem falar nada.

– Você teve muitas visitas enquanto vivia naquele lago escuro?

– Não, às vezes eu via pessoas se banhando lá, mas elas nunca conversaram comigo. Foram anos de solidão – diz Olindo.

– Eu também sofri muito esses anos todos.

– Para onde será que o Lucas vai nos levar?

– Não faço ideia. Ele me disse que vou receber uma oportunidade para desfazer o ódio que os pais de Marília sentem por mim, e assim poderei me libertar.

– Na verdade nós temos é que agradecer muito ao Lucas por ele nos dar essa oportunidade.

– Se eu soubesse que a vida não acaba com a morte, tenha certeza meu amigo, eu não teria feito a metade do que fiz.

– Eu também – diz Olindo.

Ramsés se assusta com barulhos vindos da mata escura.

– Você está ouvindo, Olindo?

– Sim, deve ser Lucas.

– Vamos nos esconder.

– Você está com medo de que, homem?

– Sei lá quem pode estar vindo aí. Pode não ser o Lucas.

– Deixa de ser medroso, Ramsés, o pior que pode acontecer com você já aconteceu... você está morto.

– Não se brinca com essas coisas, Olindo.

– Não estou brincando, estou falando sério.

Lucas aparece trazendo consigo um senhor de aproximadamente cinquenta anos. Cabelos grisalhos, pele branca, olhos claros, muito magro e maltrapilho. Veste um farrapo de terno cinza claro. Pés descalços com meias pretas rasgadas.

– Bem-vindo, Lucas – diz Ramsés aliviado e se aproximando do amigo.

– Ainda bem que você chegou, Lucas – diz Olindo.

– Senhores, esse é o Aramís.

Aramís se sente cansado ao lado de Ramsés.

– Oi senhores!

– Seja bem-vindo, amigo – diz Ramsés.

– Pegue um pouco de água no cantil preso ao meu cavalo para ele, Olindo, por favor!

– Claro, Lucas, com prazer.

Após beber várias goladas de água, Aramís respira aliviado.

– Arrume alguns gravetos para fazermos uma fogueira, Ramsés, precisamos aquecer o nosso ilustre amigo.

Ramsés se afasta e começa a colher pedaços de madeira e gravetos.

Após degustar de uma boa água limpa, Aramís ajeita o terno sujo, como se fosse fazer uma palestra importante. Ele se senta próximo a todos e começa a falar.

– Ilustre, eu? Não brinque com minha vida rapaz. Como lhe disse, estou aqui sofrendo há mais de trinta anos sem ao menos ver uma alma sequer sofrendo com fome e frio. Logo eu que fui um homem de posses, eu era muito rico, nada me faltava. Hoje sou esse resto que vocês podem ver agora. Comi o pão que o diabo amassou durante todo esse tempo que estou aqui. As vozes não me deixam dormir. Todos os dias eu ouço as vozes me acusando, me excomungando, sofro muito, meus amigos. Não tenho notícias da minha família, dos meus filhos, dos amigos dos colegas, das pessoas que tanto ajudei. Sei que fiz muita coisa errada, mas sinceramente acho que Deus aumentou o meu castigo.

A fogueira acesa começa a aquecer os corpos frios. Aramís se sente confortado e aliviado.

– Há muitos anos que não sei o que é me sentir aquecido, obrigado Lucas – diz Aramís.

Todos estão sentados em volta da fogueira, parece que a noite vai ser longa, afinal não é todo dia que se vê um político sentado como um maltrapilho. O que será que esse homem tem para contar? Por que está ali há mais de trinta anos? Quais foram os crimes que ele cometeu para se encontrar naquele estado? Por que tanto sofrimento?

Aramís prossegue:

— Sinceramente, meus amigos, não sei os motivos que permitiram o Lucas a me tirar daquele lugar, mas agradeço a você, rapaz, pela coragem de entrar lá e me tirar do maldito sofrimento. Sei que fiz muita coisa errada, mas não fiz mais do que meus amigos faziam. Eu me arrependo muito de ter tirado oportunidades, vidas, saúde e ter provocado muita desgraça nas vidas das pessoas, mas eu não fiz isso sozinho, sabe? Se eu não fizesse, se eu não roubasse, eu seria excluído do grupo político de Brasília. Eu tive que participar das coisas que aconteciam lá, senão eu não seria parte da política, vocês entendem? Tudo lá está arranjado. Quando eu cheguei em Brasília, no meu primeiro mandato, também fiquei surpreso com todo aquele esquema para desviar dinheiro público. Quando fui eleito pela primeira vez, eu praticava alguns desvios na minha cidade, isso era normal. Nós políticos vivemos para roubar do Erário público, isso todo mundo sabe, não é nenhuma novidade. Isso é em todo lugar. É cultura dos políticos brasileiros.

— Por que tanta revolta no seu coração, Aramís? – pergunta Olindo.

— Revolta? Meu amigo, estou há trinta anos nesse lugar, trinta anos, você já pensou nisso? E, além disso, são trinta anos sem dormir com essas vozes que não param de me chamar e me condenar. Elas me ofendem, me chamam de ladrão, de bandido, de marginal, de vagabundo. Dizem que me querem queimando na fogueira do inferno. Você já pensou no que eu estou vivendo? Se coloca no meu lugar. E tem mais, sabe como eu sei que estou aqui há trinta anos? As vozes fazem questão de me lembrar...

– Me perdoe a sinceridade, mas se você não tivesse roubado talvez não estivesse aqui sofrendo – diz Ramsés.

– Aqui é o inferno dos homens, amigos – diz Aramís.

– Ramsés, você também é um condenado. Aliás todos nós somos condenados, com exceção, é claro, do Lucas, que me parece não ser desse lugar – diz Olindo.

– Lucas é o anjo bom que veio nos salvar. Vocês ainda não perceberam? – diz Ramsés.

– Quem enviou você para me salvar, Lucas? – pergunta Aramís.

Todos se calam e esperam pela resposta do iluminado espírito.

Lucas mexe em alguns gravetos, aumentando a força do fogo. Levanta-se e coloca as duas mãos juntas sobre o peito em sinal de agradecimento e diz:

– Meus amigos, Aquele que tudo sabe e tudo vê em nenhum momento deixou de assisti-los. Como já disse antes, colhe-se na vida espiritual aquilo que se semeia na vida corporal, sendo assim tudo o que vocês passaram e ainda passarão, são reflexos das atitudes, pensamentos e decisões das vidas pretéritas. De tempos em tempos, nós, espíritos afins, recebemos a autorização para auxiliar aqueles espíritos que de alguma forma estão ligados a nós pelas existências anteriores. Assim eu vos conheço há muito tempo, e tento ajudá-los há outros tantos. Embora vocês não se lembrem, e isso não é importante agora, recebi a permissão para juntar um grupo que experimentamos juntos alguns séculos atrás, e agora o grupo novamente ajusta-se para resgate e evolução. Só que será diferente. Vocês não serão levados para nenhuma Colônia Espiritual para refazimento e reencarnação. Você ficarão trabalhando para purificar-se e evoluir através das obras de caridade que farão atuando como mensageiros, espíritos trabalhadores de centros espíritas. Por ora é o que posso falar. Por favor, não insistam. Porque eu só poderei contar tudo quando todos estiverem reunidos.

– Quer dizer que você já nos conhece há muito tempo?

– Sim, Olindo.

– Bem que eu desconfiava.

– Como assim? – diz Lucas.

– Eu, aqui dentro de mim, desde o dia em que te vi, tive a sensação de já te conhecer.

– É assim que as coisas funcionam, meu amigo, lembranças – diz Lucas.

– Tenho direito de saber o que você vai fazer comigo, Lucas – diz Aramís.

– Sim, compreendo que você tem esse direito, infelizmente eu ainda não posso contar. Aliás eu não vou fazer nada com você, eu simplesmente sou o mensageiro de sua liberdade, se você vai aceitá-la ou não é problema seu.

– Mas eu tenho esse direito – insiste Aramís levantando a voz.

– Aramís, meu amigo, você tem todo o direito de não seguir conosco para os outros encontros. Não ficarei aborrecido se você não quiser nos seguir daqui por diante – diz Lucas pacientemente.

– Isso é chantagem – diz Aramís.

– Não diga isso de Lucas, ele é nosso amigo – diz Olindo.

– Deixe-o, Olindo. Como disse Aramís, você pode ficar aqui se quiser. Você não é obrigado a nos seguir – insiste Lucas.

– Você sabe que eu não tenho estrutura para ficar sozinho nesse inferno.

– Então vá se acalmando, porque somos uma equipe e como equipe devemos pensar – diz Ramsés.

– Isso mesmo Aramís, somos uma equipe – diz Olindo.

– Rapazes tenham calma, deixem que Aramís decida seu destino sozinho.

Um longo silêncio se estabelece no lugar, e após alguns minutos Aramís se pronuncia.

– Quero pedir desculpas a todos, estou muito feliz em poder participar desse grupo. É que vivo em sofrimento, espero que os amigos entendam. Não está sendo fácil para mim suportar tudo isso. São muitos anos em sofrimento, perdoem-me.

Lucas se levanta e abraça carinhosamente Aramís.

Olindo e Ramsés repetem o gesto de ternura. E todos se abraçam.

Aramís começa a chorar abraçado aos amigos.

O momento é de muita emoção. Aramís chora.

– Perdoem as minhas lágrimas senhores, é que tenho muita saudade dos meus filhos – diz Aramís aos prantos.

– Tenha calma, meu amigo, logo tudo lhe será revelado – diz Lucas.

Aramís se ajoelha ao solo úmido, leva as mãos aos céus e agradece a Deus pela presença de Lucas e pela oportunidade que está recebendo. Triste, ele chora compulsivamente.

Todos se abraçam e sentam-se próximos uns dos outros, buscando aquecer os corações em lágrimas. Aramís se acalma, porém seu soluço de choro é ouvido em todo o Umbral.

Aquela noite não se conversou mais nada no grupo, cada

um dormiu com sua dor. Lucas, antes de se deitar para descansar, procurou por um lugar afastado e, de joelhos, orou a Deus por aquele dia.

E na manhã seguinte:

– Bom dia senhores – diz Lucas se aproximando de todos e colocando alguns gravetos sobre a pequena fogueira quase apagada.

Ramsés esfrega os olhos e se senta na pequena cama improvisada.

Olindo se levanta rapidamente e começa a arrumar seus trapos.

Aramís permanece deitado.

– Vamos, Aramís, precisamos seguir viagem, ainda nos faltam alguns reencontros.

– Lucas, vou lhe confessar uma coisa. Desde que cheguei nesse lugar, como já disse, há mais de trinta anos eu nunca havia conseguido dormir, nunca tive uma noite completa de sono como essa de hoje. Meu amigo, se viver é isso quero lhe agradecer pela vida que você acabou de me estabelecer. Foram muitos anos ouvindo vozes.

– Esta noite você não ouviu nada? – pergunta Olindo.

– Meus amigos, eu dormi como nunca – diz Aramís.

– Que bom, Aramís, então levante-se e vamos seguir adiante senhores – insiste Lucas.

– Lucas, você não tem aí aquele chazinho?

– Tenho sim, Ramsés, pegue água para aquecermos.

– Sim senhor – diz Ramsés pulando e correndo para pegar água.

– Chazinho? Como assim, Lucas?

– Carrego sempre comigo umas ervas para poder fazer um bom chá, meu amigo Aramís.

– Tem anos que não bebo e nem como nada. Só ontem eu pude experimentar uma boa golada de água.

– Eu também – disse Olindo. – Mas esse chazinho do Lucas é muito bom.

– Então vamos prepará-lo, rapazes – diz Lucas animado.

Assim, após todos tomarem um bom chá feito por Lucas, Aramís, Ramsés e Olindo estão prontos para a viagem.

– Para onde vamos agora, Lucas?

– Vamos para o Vale dos Monges.

– Vale dos Monges? Que lugar é esse?

– Tem monges lá, Lucas?

– Não, Olindo, o nome é dado em homenagem a um monge muito antigo que viveu naquela região do Umbral e lá ajudou muitos espíritos que ao desencarnarem precisavam se reconhecer como espíritos errantes, e foi através dos ensinamentos deste monge que todos conseguiram se libertar e evoluir.

– O que tem lá? – pergunta Ramsés.

– Templos para meditação e oração.

– Como assim, templos aqui no Umbral?

– Aramís, nós espíritos somos cocriadores das coisas de Deus. Quando um ou mais se reúne em seu nome ou idealiza algo de bom em nome de Deus isso se torna realidade nas psicosferas espirituais.

– Como assim, Lucas? – insiste Olindo.

– Somos seres destinados à perfeição, embora muitos não acreditem, temos poderes ainda incompreensíveis para o nível intelectual do espírito na atualidade. Assim, quando muitas mentes idealizam algo, esse algo possível se condensa aqui no Umbral ou em regiões afins. Sendo assim, havia a necessidade de um lugar para receber pessoas que se váliam do poder da meditação para cometer pecados, e o pecado só deixa de ser pecado quando o sentimento e as atitudes de arrependimentos sinceros se consolidam.

– Entendi, quer dizer que aqui no Umbral existem várias regiões, ou, melhor dizendo, cidades que foram condensadas pelos espíritos afins. Pensaram igual, desejaram igual e assim aconteceu, é isso?

– Essa é a forma mais simples de explicar como funcionam as coisas aqui Ramsés, e eu admiro sua inteligência.

– Obrigado Lucas.

– Agora precisamos seguir em frente, rapazes.

– Sim, vamos – diz Aramís.

– Quem é que vamos encontrar agora, Lucas?

– Vamos ao encontro de Turmio.

– Quem é esse cara, Lucas?

– Vamos montar nos nossos cavalos e seguir em frente, no caminho conversamos.

– Desculpe-me perguntar, Lucas, mas de onde foi que você tirou esse cavalo para o Aramís?

– Meus amigos me trouxeram durante a noite, vocês estavam dormindo.

– Não vi ninguém chegar aqui essa noite – diz Olindo.

– Eu também não – disse Ramsés.

– Eu muito menos, estava me deliciando com uma bela noite de sono, sem vozes me perturbando – diz Aramís.

– Senhores, deixemos a conversa para o caminho, vamos em frente.

Todos obedecem a Lucas e montam em seus cavalos, a missão agora é encontrar Turmio no Vale dos Monges.

Antes de sair, Lucas pede a Olindo que apague a fogueira. Curioso, Ramsés pergunta por que ele mandou apagar a fogueira.

– É Lucas, por que você quer que apague a fogueira? – insiste Aramís.

– Rastros, meus amigos. Não podemos deixar rastros pelo Umbral.

– Como assim, Lucas, tem alguém nos seguindo?

– Os olhos do mal estão sempre perseguindo as falanges do bem, assim onde o bem se expressa o mal espreita para atacar.

– Mas não vimos ninguém até agora nos seguindo ou tentando nos atacar – diz Olindo apagando a fogueira.

– A condição espiritual de vocês ainda não lhes permite perceber influências espirituais destrutivas.

– Que raios será isso, Lucas?

– O quê?

– Influência espiritual negativa?

– A força do pensamento, meus amigos.

– Você pode explicar melhor isso, Lucas?

– Sim, Olindo, prestem atenção: tudo o que o espírito pensa se torna sentimento, e todo sentimento se torna ação, assim tudo o que desejas, seja para o bem ou para o mal, se torna uma energia que canalizada pode fazer o bem ou fazer o mal.

– Eu tenho esse poder, Lucas?

– Como já disse, o espírito é cocriador das coisas de Deus.

– Mas Deus não criou o mal.

– Certo que sim, Ramsés, Ele não criou o mal, Ele criou fluídos, quem os condessa são os espíritos. E é através da condensação dos fluídos de Deus que fazemos o bem e o mal.

– Desejo sincero, é isso Lucas?

– Sim, como já expliquei, tudo o que desejas pode se tornar realidade se mais de uma mente deseja a mesma coisa.

– É por isso que muita gente se dá mal, né Lucas?

– Principalmente quem consegue notoriedade.

– Artistas, pessoas famosas, elas sofrem por causa disso, Lucas?

– Qualquer um que chame atenção para si de um fato bom, recebe ondas vibratórias positivas, porém aqueles que de alguma forma fazem o mal para muitos, recebem aqui a onda merecida, os fluídos que os mantêm em sofrimento. Olhe para a vida atual de vocês e poderão entender melhor o que eu vos explico.

– Eu que o diga, tanto mal que fiz usando o cargo político a mim confiado, olhe onde fiquei durante 30 anos – diz Aramís.

– Então o lugar em que fiquei aqui no Umbral foi uma condensação de ódio que as pessoas sentiram por mim?

– Além da sua condição psíquica, Ramsés, você se aliou a esses sentimentos quando fez o que fez à menina Marília, assim colhes aqui o que semeastes na vida anterior. O Umbral é denso porque os sentimentos plasmam esse lugar. Assim como as Colônias são lugar de conforto, elas foram plasmadas pelo amor, fluídos de amor. E para lá vão aqueles que fazem o bem, ou fizeram alguma coisa útil nas encarnações pretéritas.

– Eu nunca havia ouvido falar sobre esses tais de fluídos, Lucas – diz Olindo.

– Eu ainda vou lhes ensinar muita coisa relacionada a isso. Para a missão que vocês terão que cumprir é necessário que conheçam muito bem como manipular os fluídos de Deus. Vocês terão a oportunidade de estudar, praticar, condensar e utilizar os fluídos de Deus para que todo o bem que necessitam fazer torne-se realidade. E assim expurgarem o mal que praticaram.

– E quando é que você vai nos ensinar isso?

– Quando todos estiverem reunidos.

– E quantos ainda faltam encontrar? – pergunta Aramís.

– Mais quatro amigos – diz Lucas.

– Seremos sete no total ou oito com você?

– Vocês serão sete, uma falange de sete espíritos.

– Então vamos logo encontrar-nos com os outros.

– Vamos sim, rapazes.

– Vamos – dizem todos.

Assim todos seguem, saindo das trilhas e pegando uma estrada larga e lamacenta.

Está escuro no Umbral.

"As escolhas e as companhias definem nossa próxima existência."

Osmar Barbosa

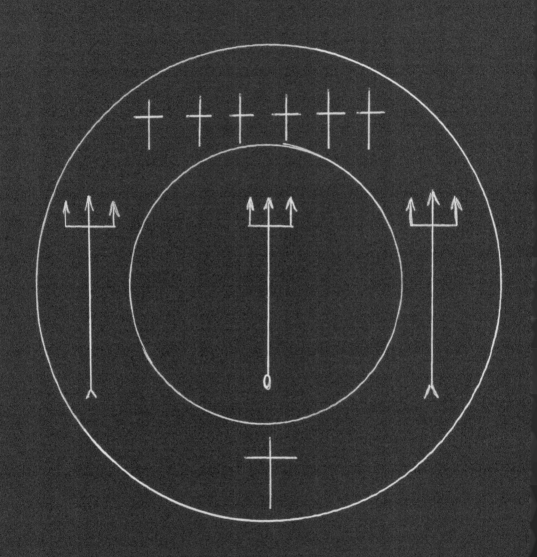

Turmio

Lucas, Olindo, Ramsés e Aramís estão cavalgando lentamente pelas estradas escuras e frias do Umbral.

– Fale-nos um pouco sobre o Turmio, Lucas?

– Você é o mais curioso do grupo, Olindo.

– Perdoe-me, Lucas, se me intrometo onde não devo.

– Turmio foi um sacerdote famoso – diz Lucas.

– Um sacerdote, como assim?

– Um sacerdote, senhores, um sacerdote que serviu a um Rei na antiguidade.

– Ele está aqui há muitos anos, Lucas? – pergunta Olindo.

– Não Olindo.

– Então por que o sacerdote?

– O que o trouxe para o Vale dos Monges foi a sua encarnação como sacerdote. Foi uma encarnação que ele teve na Índia.

– Seus resgates, é isso?

– Sim Ramsés, ele precisa estar com alguns espíritos aos

quais ele fez muito mal quando teve sua encarnação como sacerdote.

– Por isso ele está lá?

– Sim, reencontros, amigos, reencontros – diz Lucas.

– Assim como nós nos reencontramos, eu e você, Ramsés – diz Olindo.

– Podemos voltar a encarnações tão distantes assim, Lucas?

– Sim, Aramís, quando todo o grupo estiver reunido, vocês poderão compreender por que eu estou aqui, e para quê. Poderão ainda saber as afinidades que existem uns com os outros e poderão experimentar a misericórdia divina em sua essência.

– Quer dizer que eu estou ligado a esses dois aí por algum motivo?

– Sim, Aramís.

– Não gostou de estar ligado a mim, Aramís?

– Não é isso, Ramsés, eu só quero entender o que está acontecendo comigo.

– Senhores, tenham paciência que logo todos terão ciência dos motivos que foram levados a nosso encontro.

– Obrigado Lucas.

– Obrigado pelo que, Aramís?

– Você não faz ideia do meu sofrimento, meu amigo. Eu só tenho a lhe agradecer.

– Em breve você poderá compreender todos os motivos.

– Espero não ter feito nenhum mal a você. Sabe Lucas, na verdade você é um anjo para mim.

– Obrigado pelo anjo, Aramís.

– Lucas é um cara muito legal mesmo – diz Ramsés.

– O que seria de nós se ele não estivesse aqui – diz Olindo.

– Deixem de bobagens e fiquem atentos. A partir desse lugar, teremos que atravessar o Vale da Morte para atingirmos nosso objetivo.

– Só o nome já me apavora, Lucas.

– Fiquem perto de mim e atentos, por favor – insiste o mentor.

– Lucas você pode me explicar como funciona a encarnação, as reencarnações e tudo isso, é que eu nunca fui muito de religião, meu amigo – diz Aramís – Eu até ouvi uma conversas, sabe aquelas vozes?

– Sim, o que elas diziam?

– Primeiramente elas me xingavam muito. Me chamavam de desgraçado, bandido, corrupto, canalha e por aí vai. Não sei de onde elas vinham, mas me pareciam muito próximas. Elas diziam sempre que eu iria padecer nas chamas do inferno. Isso eu até compreendo porque eu sempre fui católico, mas, confesso, não fui muitas vezes à igreja, embora tenha sido batizado pela minha mãe, que é devota de Nossa Senhora. Eu até tive uma assistente que trabalhava no meu gabinete que insistia para que eu fosse ao centro espírita de uma tia dela para fazer um descarrego. Ela dizia que os meus inimigos da política estavam fazendo trabalhos para me destruir, eu nunca acreditei muito nisso, mas quando cheguei aqui nesse lugar eu pude constatar que demônios existem mesmo. Por vezes eu até mandei dinheiro para a tal mãe de santo fazer um trabalho para mim, e eu até acho que isso funcionou.

– O que você deseja saber, Aramís?

– Opa, deixa eu me aproximar para aprender com vocês, Lucas – diz Olindo, sempre atento às conversas do grupo.

– Como é que funciona tudo isso? Porque eu não me lembro de nenhuma encarnação passada – diz Aramís – Será que isso existe mesmo?

– Meus amigos, o Pai criou-nos para a perfeição, "essa é a lei". Assim o fato de vocês não se lembrarem das encarnações anteriores é a forma que nosso Pai permite existir para não punir quem Ele tanto ama. No momento certo somos levados às recordações necessárias e à compreensão do que somos, de onde viemos e para onde queremos ir. Somos livres, e seremos livres em todo lugar. Assim, quando você sentir a necessidade de evoluir e desejar isso com toda a sua alma, você recebe o que pede, pois Ele não deixa nenhum filho d'Ele desassistido, embora podeis achar que estais sozinho, jamais andarás sem a proteção do Criador.

– Isso é justo, Lucas?

– Eu não acho justo – diz Ramsés.

– Quem somos nós para falar de justiça se estamos a padecer pelos pecados que praticamos – diz Aramís.

– Verdade, Aramís.

– Quer dizer que esse véu que nos oculta as encarnações anteriores é um véu protetivo?

– Assim como os encarnados o têm! Esse véu é o que impulsiona o espírito a descobrir-se filho de Deus. É nas dúvidas que buscamos aprender e na incerteza que adquirimos conhecimento. Assim tudo está a critério do Criador.

– Quer dizer que na hora certa eu vou me lembrar das minhas existências anteriores e poderei encontrar um melhor caminho para mim?

– Sim, Olindo, tudo aqui é muito organizado. Somos intuídos a buscá-lo a todo tempo. No momento certo vocês se lembrarão das encarnações anteriores e poderão reavaliar-se. Assim, espero que decidam pelo melhor caminho.

– E qual é o melhor caminho, Lucas?

– Amar, Ramsés, amar como Ele vos amou!

– Difícil hein!

– Mas não é impossível, Aramís – diz Lucas.

– Perdoe a minha colocação, Lucas, é que eu ainda sou muito imperfeito.

– Essa já é uma grande descoberta Aramís, parabéns!

– Você acha?

– Sim, reconhecer-se imperfeito já é um bom começo.

– Temos muita coisa para aprender, não é Lucas?

– Sim, Olindo, muita coisa.

– Estamos no caminho certo, Lucas?

– Vocês estão começando a entrar na estrada da libertação, e eu sinceramente espero que todos cheguem ao destino final.

– Qual é o destino final, Lucas?

– A perfeição, Ramsés, a perfeição, meus amigos, todos os espíritos se tornaram perfeitos – diz Lucas pausadamente.

Um enorme estrondo é ouvido por todos. Os cavalos se assustaram e por instinto correram para uma relva à beira da estrada.

– O que foi isso, Lucas?

– Venham para perto de mim, protejam-se – diz Lucas galopando em direção a um pequeno monte perto do lugar.

Todos correm atrás de Lucas para se protegerem.

Esbaforidos, todos param ao lado de Lucas, que desce do cavalo e se abaixa. Olindo, Ramsés e Aramís repetem o gesto e se agrupam perto de Lucas e dos cavalos.

Falando baixo, Olindo pergunta.

– O que houve, Lucas?

– Não tenho certeza, mas acho que vem passando uma legião de malfeitores.

– E por que fazem esse barulho?

– Para espantar quem segue à frente.

– Eles precisam da estrada livre, é isso Lucas?

– Sim, Ramsés. É uma legião enorme e seu líder exige a estrada livre para ele. Fiquem calados e se escondam. Olindo, faça carinho nos cavalos para que eles se mantenham em silêncio.

– Sim, Lucas, pode deixar.

Olindo se ajoelha e começa a acariciar seu cavalo e o cavalo de Lucas. Ramsés repete o gesto e é acompanhado por Aramís.

Logo uma grande comitiva aparece na estrada. Quatro guardiões grandes seguem à frente montados em enormes cavalos negros. Seus corpos atléticos seminus ostentam colares com dentes de animais, nas mãos eles trazem grandes e afiadas lanças com fitas coloridas. Os cabelos longos são enfeitados com tiras de pedaços de palha seca. Logo atrás um grupo de aproximadamente trinta homens, mulheres e crianças marcham à pé, todos são negros. E a seguir um outro grupo traz, sentado dentro de uma espécie de carroça sem rodas e sem teto nos ombros, um homem de aproximadamente dois metros de altura, ele está de pé, seus dentes brancos o destacam dos demais espíritos. Ele é bonito e veste apenas uma tanga de cor amarela. Nas pernas, palhas e fitas coloridas amarradas enfeitam suas curvas musculosas e acentuadas.

Logo atrás, dezoito mulheres bem vestidas que parecem pertencer a ele.

E mais distante outro grupo de aproximadamente sessenta espíritos, entre mulheres, rapazes e crianças termina o cortejo do grande imperador, assim nos disse Lucas.

– Quem são, Lucas?

– Como disse, é uma legião do mal, aquele que está sendo carregado é o líder desse grupo. À frente são os soldados que o protegem, são capazes de tudo para zelar pela segurança de seu líder. Atrás seguidores fiéis, e atrás dele, as suas esposas.

– Ele tem todas essas esposas?

– Sim, ele tem poder por aqui.

– Perdoe-me a pergunta, Lucas, mas fiquei confuso com isso – diz Olindo.

– O que te perturba, Olindo?

– Líder, como assim, líder aqui, legião, falange, esposas, seguidores, como assim?

– Existem líderes em todo lugar, você não concorda?

– Sim, tínhamos líderes quando eu estava encarnado.

– O que vocês experimentam na vida encarnada é um reflexo do que existe na vida espiritual. Por ignorância, esses espíritos não percebem que estão desencarnados e seguem esses espíritos que são poderosos por aqui.

– Mas como Deus permite isso?

– Deus te criou ignorante para que busque através das provas e das lições aprender que és eterno e que és filho do Criador de todas as coisas. Muitos não acreditam nisso, ou vão demorar muito tempo para se perceberem espíritos eternos, assim vivem por aí seguindo quem tem um pouco mais de esperteza.

– Meu Deus! – diz Ramsés.

– Era como eu me sentia quando estava encarnado no tempo das eleições. As pessoas me adoravam, me seguiam, me imitavam, eu sei perfeitamente o que é isso, meus amigos – diz Aramís.

– Você vivia assim, Aramís?

– Assim como?

– Cercado de imbecis?

– O poder é capaz de muita coisa rapazes. Quando fui eleito deputado federal eu tinha que me esconder das pessoas que viviam na porta da minha casa e do meu gabinete para me pedir coisas. Elas me idolatravam e eu muitas vezes me senti assim, como o dono de tudo, como o senhor de todos, como o dono da razão. E pior, tudo o que eu pedia eles faziam sem me questionar, faziam simplesmente porque eu era o deputado.

– Pior que é assim mesmo – disse Ramsés.

– O pior não foi isso, meus amigos, agora me lembro que uma vez eu comentei com um cabo eleitoral meu que eu não gostava muito do Tião da mercearia, porque ele não fazia propaganda para mim e sim para o meu rival político.

– E o que aconteceu?

– Um cabo eleitoral meu, um ex-policial militar, simulou um assalto na mercearia só para matar o Tião.

– E ele matou o tal homem?

– Você tem dúvida? – disse Aramís abaixando a cabeça e olhando para o chão.

– Meu Deus! – disse Ramsés.

– Vocês podem não acreditar, mas aqueles seguidores que vocês viram passar atrás de seu líder são capazes de coisas ainda piores. Por isso eles são temidos aqui no Umbral.

– O que iremos fazer Lucas?

– Vamos sair dessa estrada, venham comigo, já estamos perto de nosso destino. Logo à frente iremos encontrar com um grande amigo meu que irá nos auxiliar no restante da missão.

– Vamos pessoal, vamos seguir o Lucas.

Todos saem em silêncio pela estrada marginal, a principal, e se dirigem para uma pequena vila.

Após algumas horas caminhando, cada um trazendo seu cavalo sem montá-lo, finalmente Lucas e seus amigos chegam a um pequeno vilarejo. As poucas casas que existem são pintadas de azul escuro, embora a pintura esteja bem desgastada pelo tempo.

– Que lugar é esse, Lucas – pergunta Olindo.

– Uma vila que antecede ao Vale dos Monges.

– Alguém vive aqui?

– Sim.

– Quem será que vive aqui?

– Eu já te falei, todos os lugares estão preenchidos, lembra?

– Sim, lembro-me perfeitamente, Lucas.

– Vamos pernoitar aqui, estou esperando por um amigo meu que vai nos ajudar no restante da missão.

– Podemos saber o nome dele? – pergunta Aramís.

– Sim, o nome dele é Ventania.

– Esse pelo menos não é mosqueteiro – brinca Ramsés.

– Quem é esse tal Ventania, Lucas? – pergunta Aramís.

– É um Caboclo.

– Um índio?

– Sim, ele viveu como índio em todas as suas encarnações.

– E ele mora aqui no Umbral? – pergunta Olindo.

– Não, ele vive e mora em Aruanda.

– E essa tal Aruanda é longe daqui?

– Um pouco.

– E o que é que ele faz?

– Ventania é um guardião do bem. Ele trabalha dando segurança a uma Colônia que se chama Colônia Espiritual Amor e Caridade.

– E essa Colônia precisa de segurança, Lucas?

– Todas as Colônias precisam de segurança, Ramsés.

– Por que precisam de segurança se é um lugar bom de se viver?

– Exatamente por esse motivo, por ser um lindo lugar para se viver as Colônias são alvo dos espíritos que não querem ter o trabalho de se transformar, querem entrar pela porta larga sem serem convidados. Mas a passagem para a vida eterna é pela porta estreita, lembram-se dessa frase rapazes?

– Não, eu não lembro – diz Aramís.

– Era assim quando estávamos encarnados, aqui não deve ser diferente – diz Ramsés.

– Confesso que não tinha pensado assim. Eu até já ouvi a minha mãe falar sobre essa tal porta estreita.

– Existem espíritos que acham que fingindo uma transformação eles poderão enganar os espíritos superiores. Não há mentiras e muito menos trapaças por aqui. Como não temos dinheiro e nenhuma moeda de troca, tudo aqui tem que ser conquistado sinceramente, caso contrário não dá certo. A moeda de troca aqui é o amor, meus amigos, o amor...

– Então tem muita gente frustrada por aqui, não é Lucas?

– O Umbral é uma região de sofrimento, meus amigos, como podem ver.

– Eu que o diga – diz Aramís – Se eu soubesse que passaria mais de trinta anos sofrendo como sofri, certamente eu tinha trocado todo o prestígio, dinheiro e fama pela caridade e amor ao próximo, meus amigos.

– Ainda bem que você reconheceu as suas faltas e assim pudemos e poderemos te ajudar – diz Lucas.

– Lucas, quer que eu pegue alguns gravetos para fazermos uma fogueira?

– Faça isso, por favor, Olindo, pois eu não sei o tempo que levará para o Ventania chegar.

– Você pode nos falar um pouco mais sobre esse Ventania, Lucas?

– Sim, claro que sim, Ramsés. Dê de beber aos cavalos, vamos preparar a fogueira, nos sentamos e eu vou contar um pouco da história do Caboclo Ventania.

– Venham rapazes, vamos preparar tudo – diz Ramsés correndo para ajudar Olindo.

Após alguns minutos, todos já estão sentados ao lado da pequena fogueira, aquecidos e ansiosos pela história que Lucas prometeu contar.

– Sente-se, Lucas, venha nos contar a história do Caboclo Ventania.

– Deixe-me preparar um chá.

Lucas retira o pequeno saco amarrado à sela de seu cavalo e tira um pequeno punhado de ervas que coloca dentro de uma vasilha com água, e assim prepara um chá para ser servido a todos.

Após o preparo, Lucas distribui uma caneca contendo o precioso líquido para seus amigos, e se senta ao lado de todos para então começar a contar a tão esperada história.

– Bom, meus amigos, falar de Ventania é uma honra. Conheci o Ventania quando cheguei à Colônia Espiritual Amor e Caridade e fui recebido pelo seu principal dirigente, de nome Daniel. Foi o Ventania que me levou para conhecer Daniel, pois por tratar-se de um guardião de Amor e Caridade todos que chegam lá são levados por ele.

– Como funciona uma Colônia Espiritual, Lucas?

– Colônias Espirituais, Cidades Espirituais, ou Moradas Transitórias são a mesma coisa. São cidades construídas para auxiliar e amparar espíritos que ainda precisam reencarnar. Assim todos os espíritos que saem do Umbral ou mesmo aqueles que não passam pelo Umbral, são recebidos para tratamentos de refazimento e reencontros com seus familiares que se foram antes deles na encarnação. Todos nós, após a encarnação, estamos destinados a uma Colônia Espiritual.

– É lá que está a minha família? – pergunta Aramís.

– Não sei bem ao certo onde estão seus familiares, Aramís, isso nós iremos saber na hora certa, mas posso lhe assegurar que todos estão bem.

– Não posso saber isso agora?

– Ainda não.

– Está bem – diz Aramís conformado.

– Não fique triste, logo você vai saber de tudo. Já disse a vocês, nós precisamos juntar o grupo que me foi incumbido encontrar. Quando isso acontecer, todos vocês saberão o que devem fazer.

– Certo Lucas – diz Aramís.

– Prossiga com a história por favor, Lucas – diz Olindo curioso.

– Ventania encarnou diversas vezes como índio. Na sua última encarnação, ele assassinou freiras, padres e pessoas ligadas a uma igreja. Assim, quando desencarnou após muito sofrimento e presenciar várias desgraças, veio diretamente para o Umbral e ali permaneceu por vários anos, até que Daniel, o mentor de Amor e Caridade, conseguiu uma permissão para resgatá-lo e o fez, embora tenha sido o próprio Ventania que matou os amigos mais próximos de Daniel quando ele chefiava uma missão de conversão dos índios ao catolicismo. Assim, o perdão de Daniel salvou o Caboclo Ventania, que por esse gesto do nobre espírito o protege e guarda a Colônia a qual ele preside com muito amor e dedicação.

– Nossa que legal – diz Olindo.

– E ele trabalha aqui no Umbral também?

— Sim, ele é um dos espíritos que têm livre acesso ao Umbral. Pela sua experiência e sabedoria ele é capaz de fazer muita coisa por aqui.

— Isso tudo ele aprendeu quando era índio?

— Ele ainda é um índio, Olindo — diz Lucas.

— Por que ele se mantém como índio, Lucas?

— Quando você desencarna você pode escolher a encarnação que mais lhe fez feliz e viver com a aparência que te fez mais feliz. Justiça divina é o nome disso!

— Quer dizer que se eu descobrir por exemplo que fui um excelente marinheiro, eu poderei escolher viver como marinheiro na vida espiritual?

— Sem sombra de dúvida, meu amigo, a única exigência será que você terá que viver com outros marinheiros.

— Sim, se vivi como marinheiro e foi como marinheiro que fui feliz, certamente poderei viver ao lado deles.

— Essa é a grande conquista do espírito, poder viver ao lado de quem amou ou ama, e fazer aquilo que mais gostou durante suas encarnações.

— Nossa, nunca pensei que fosse assim, Lucas.

— Mas é assim, Olindo. Justiça Divina, amor, meu amigo, amor.

— Agora eu estou começando a compreender as coisas — diz Aramís.

– Que bom Aramís.

– Amigo, pelo que estou entendendo, a morte não é o fim, e sim um recomeço – diz Ramsés.

– Morremos para a vida humana e acordamos para a vida espiritual, e assim juntamos as duas vidas, e dela tiramos o que aprendemos, daí podemos viver aqui plenamente. E melhor, com quem a gente ama e amou quando estávamos encarnados.

– Muito bom, Olindo, parabéns rapazes! – diz Lucas animado.

– Conte-nos mais sobre o Ventania.

– O que mais vocês querem saber?

– Como ele vive, como trabalha, com quem ele vive e tudo mais – diz o curioso Olindo.

Um assovio é ouvido por todos.

– É ele, Lucas?

– Sim, é o meu amigo Ventania chegando.

– É melhor ouvirmos dele próprio suas dúvidas, Olindo – brinca Ramsés.

– Botem mais lenha na fogueira rapazes, vamos fazer mais chá, nosso amigo está chegando.

Olindo rapidamente corre para pegar mais lenha para a fogueira, todos estão ansiosos aguardando a chegada do Caboclo.

Ventania se aproxima do grupo montado em um cavalo branco com manchas cinzas. O cavalo mede aproximadamente dois metros, é enorme, sua crina longa e trançada embeleza ainda mais o animal, que, relinchando, chega iluminando todo o lugar. Sentado sobre ele está um lindo Caboclo de pele morena e cabelos longos. Ventania veste uma calça comprida de cor bege, que vai até os pés calçados com uma sandália feita de couro com tiras. No pescoço, um lindo colar feito de pedras preciosas pequeninas e coloridas. Pendurado ao colar está um pequeno círculo cravejado de brilhantes com uma esmeralda ao centro. Na cabeça, uma pena pode ser vista por detrás do cabelo, parece uma pena de águia. Nos pulsos, diversas pulseiras de couro, cada uma de uma cor, enfeitada com búzios. Um sorriso anuncia a chegada do índio Ventania.

– Meu amigo, seja bem-vindo – diz Lucas se levantando.

Lentamente, o Caboclo desce do cavalo e abraça Lucas, que, feliz, retribui o abraço apertado.

– Seja bem-vindo Ventania!

– Obrigado, Lucas, você sempre receptivo para com os amigos.

Olindo, Ramsés e Aramís se colocam de pé para saudar o recém chegado.

Ventania, alto e forte, se dirige para cumprimentar os amigos ansiosos pela palavra do Caboclo.

E estendendo a mão direita um a um ele cumprimenta todos os presentes.

– É um prazer para nós conhecer o senhor, Ventania – diz Olindo.

Ventania e Lucas riem.

– Senhor... de onde você tirou isso meu rapaz?

– Desculpe-me se eu o ofendi, senhor Ventania.

Novos risos.

– Me chamem sempre de Ventania, Caboclo Ventania, rapazes. Sou muito jovem para ser chamado de senhor.

– Realmente você aparenta uns vinte e poucos anos – diz Aramís.

– Pode-se considerar que eu tenho vinte e sete anos, meus amigos – diz o Índio.

– É muito bom ter você aqui, Ventania – diz Lucas se aproximando da fogueira para se sentar.

– O prazer é meu, Lucas.

– Vamos nos sentar, preparamos um chá especialmente para esse encontro – diz Lucas.

– Claro que sim – diz Ventania se sentando ao lado de todos.

Logo as perguntas começam.

– Então, como é ser um guardião, Ventania? – pergunta Aramís.

– Confesso que às vezes tenho vontade de desistir, mas como sei que meu trabalho é nobre deixo de lado as mazelas e sigo determinado naquilo que tenho que fazer.

– Você pode nos explicar como é trabalhar como Caboclo? – pergunta Olindo.

– Aqui não temos tempo a perder. Agora que vocês acordaram da ociosidade purgativa, vocês poderão entender como tudo funciona.

– Ociosidade purgativa, que raios é isso?

– Vocês foram colocados em sofrimento ocioso, que é ficar preso a algum lugar sem ter o que fazer para se melhorar. É uma punição imposta àqueles que cometeram alguma falha durante a expiação.

– Pior que é verdade, tinha dias que eu ficava contando pedrinhas no lugar em que vivia. Eu estava congelado, preso àquele maldito lugar, eu tentava sair e era impedido por aqueles malditos espíritos que me vigiavam dia e noite – diz Olindo.

– Isso é ociosidade purgativa, porque com o passar dos anos você acaba sendo resgatado pelo sentimento de arrependimento que nasce dentro daqueles que ficam presos sem nada poderem fazer.

– Ainda bem que isso acabou – diz Ramsés.

– Mas como é viver como índio?

– Eu só sei fazer uma coisa, meus amigos – diz o Caboclo.

– O quê? – pergunta Olindo.

– Ser índio, todas as minhas encarnações foram como índio, tudo o que sei e aprendi foi como índio, sendo assim o melhor de mim é o índio.

– Então você se aproveita de tudo o que aprendeu como índio para aplicar aqui?

– Aqui e em todos os lugares que me é permitido ir.

– Existem lugares que você não pode ir?

– Sim, eu ainda não sou perfeito, só os perfeitos podem transitar por todos os planos.

– Planos, o que é isso?

– Planos espirituais, Olindo – diz Lucas.

– Existem vários planos espirituais, meus amigos. É onde vivem outros espíritos, planos mais perfeitos e menos perfeitos, assim como existe na encarnação cidades melhores e cidades piores. Os que vivem nas cidades piores não conseguem entrar nas cidades melhores, mas os que vivem nas cidades melhores têm livre acesso às cidades piores.

– Por que é assim? – pergunta Ramsés.

– Porque o perfeito sabe como ajudar os imperfeitos, porque um dia o perfeito foi um imperfeito e, como imperfeito, aprendeu a ser perfeito, simples assim! – diz Ventania.

– Nunca imaginei que as coisas fossem assim – diz Olindo, espantado.

– Onde mais você trabalha, Ventania?

– Além de ser guardião da Colônia Espiritual Amor e Caridade, eu trabalho e dirijo alguns centros espíritas de Umbanda.

– O que você faz nesses Centros Espíritas?

– Ajudo pessoas a se melhorarem, passo ensinamentos, modifico corações e faço a minha caridade, é claro.

– E por que você faz isso? – pergunta Olindo.

– Logo vocês vão compreender que quanto mais a gente ajuda, mais rápido ascendemos a planos superiores e quanto mais planos conseguimos acessar mais planos teremos vontade de conhecer. O universo está repleto de lugares incríveis que todos precisamos conhecer.

– Quer dizer que existem diversos planos superiores?

– Esse rapaz é curioso, não é Lucas?

Todos riem.

– Olindo é um rapaz muito curioso, Ventania – diz Lucas.

– Meus amigos, os planos superiores até onde sei são infinitos, não existe um fim para as coisas criadas por Deus. E os inferiores estamos explorando enquanto aprendemos a sermos melhores.

– Nossa que legal! – diz Ramsés.

– Você não vai perguntar nada, Aramís?

– Não Lucas, prefiro ouvir por enquanto.

– Não se acanhe em perguntar, meu amigo – diz Ventania olhando fixamente para Aramís.

– Estou vendo que tudo isso que vocês estão falando está muito distante de mim. Sou o pior dentre todos os que estão aqui. Consegui destruir a minha vida quando roubei dinheiro dos hospitais, da merenda escolar, da segurança pública e por aí vai, por isso o meu silêncio.

– Pois saiba que você é meu escolhido desse grupo – diz Ventania.

– Eu, mas por que eu?

– Logo você saberá, logo, logo, você saberá, meu rapaz!

– É muito mistério – diz Aramís reclamando.

– A primeira lição que quero te dar é a seguinte, Aramís.

– Diga Ventania!

– Nunca questione ou julgue aquilo que você não compreende. Tenha sempre paciência e humildade por onde passar. O tempo tem a resposta para todos os questionamentos, sendo assim permaneça em oração e tudo lhe será revelado. Revelado, claro, no tempo da compreensão, porque não adianta falarmos a quem não tem ouvidos. Por isso você é meu desafio, tenho certeza que quando terminar tudo isso você vai me agradecer, e muito, por tudo o que eu tenho para lhe ensinar, orientar e revelar.

– Agradeço humildemente por sua ajuda, Ventania, não aguento mais sofrer comigo mesmo.

– Tudo lhe será revelado, tenha calma.

– Estou tentando meu amigo, mas confesso que é difícil encarar essa realidade. O arrependimento me tortura a cada segundo de vida, se eu soubesse que não morreria, certamente eu não teria feito a metade das coisas ruins que eu fiz.

– Tens que aprender a ouvir seus sentimentos – diz o Caboclo.

– Pois é, eu sempre achava que era coisa da minha cabeça, não dei ouvidos aos anjos que falavam comigo, não faça isso! Agora o arrependimento me tortura. Eu me lembro que uma vez uma senhora me parou na rua e me disse para eu parar de fazer bobagens com as coisas que Deus me presenteou. Olhei para ela sério e ela insistiu dizendo: "Meu filho, Deus lhe abriu a porta do auxílio aos mais necessitados, use as graças divinas que lhe foram oferecidas para alimentar quem tem fome, dar de beber a quem tem sede e amparar os que sofrem". Achei aquilo muito estranho, pois eu nunca tinha visto aquela velha pela cidade, e olha que eu conhecia todo mundo. Fiquei com aquilo na cabeça por muito tempo. Passadas duas semanas, fui fazer um comício numa praça de um bairro muito pobre, e quando estávamos chegando no lugar eu vi novamente aquela senhora empurrando um carrinho feito de restos de caixas de madeiras e uma roda daquelas que achamos no lixo. Pedi ao meu motorista para parar o carro e me dirigi até ela, que empurrava aquele carrinho cheio de bugigangas provavelmente catadas no lixo para vender em algum ferro velho. Ela novamente olhou para mim com ternura e sem que eu dissesse uma só palavra já foi dizendo: "Você não consegue dormir direito com tudo o que lhe falei, não é filho?" E sem que eu respondesse novamente ela insistiu: "Não é meu filho? Pois saiba que Deus mandou te dizer que se você não mudar as suas atitudes você vai sofrer muito ainda. Ouça o que essa pobre mulher lhe diz, meu rapaz, dê um passo para trás, olhe pelos necessitados e auxilie sempre". Sem que eu a respondesse, ela baixou a cabeça e continuou sua caminhada sofrida com aquele carrinho de madeira.

– Eu fiquei ali, parado no meio da rua, sem palavras, sem conseguir me mover. Foi quando meu motorista se aproximou de mim e me tocando disse: "Doutor, está tudo bem?" Demorei algum tempo para responder, eu sabia que aquela senhora tinha me tocado profundamente, eu tinha esse sentimento. Mas o poder, a ganância, a idolatria, o ego me fizeram esquecer aquelas palavras. Curioso é que aqui nessa região onde sofri durante muitos anos, a voz daquela senhora me perturbava sempre.

– É bom ouvir isso de você, Aramís. Esses são os sinais do Criador. Sempre seremos alertados, às vezes por pessoas desconhecidas. O Pai tem os seus mistérios, o importante é ficar atento aos sinais que o Universo nos manda todos os dias – diz Ventania.

– Meu peito dói, meus amigos – diz Aramís.

– Não fique assim, amigo – diz Olindo se aproximando.

– Deixa disso – diz Ramsés.

– Logo tudo será melhor – diz Lucas.

– Vejam, os nossos cavalos se deitaram junto com o seu cavalo, Ventania.

– Isso é sinal que está na hora do descanso, rapazes, vamos nos preparar para o dia seguinte – diz o Caboclo.

– Sim, já está na hora mesmo – diz Lucas.

Todos se deitam para descansar, menos Ventania, que monta guarda para proteger o grupo.

A noite é fria e silenciosa naquela parte do Umbral.

"Amigos são partes que se encontram para experimentar a evolução."

Caboclo Ventania

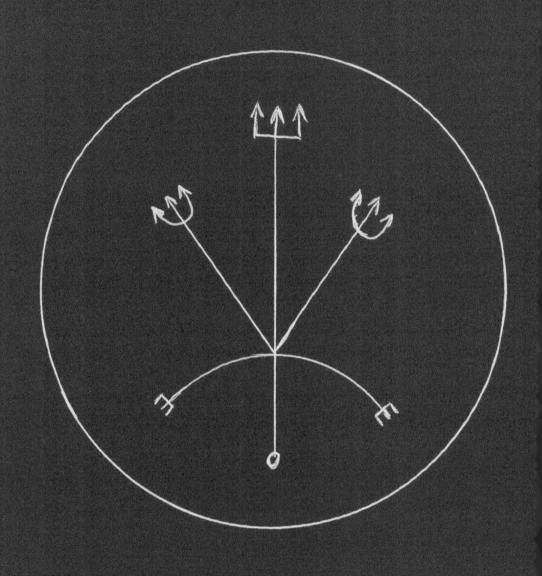

O Vale dos Monges

Aves fazem muito barulho no amanhecer escuro do Umbral. São gritos estrondosos que se pode ouvir a quilômetros de distância.

Todos acordam muito assustados. Ventania está de pé ao lado das camas improvisadas perto da fogueira, que ainda queima, alimentada por lenha colocada durante toda a noite pelo Caboclo para aquecer seus assistidos.

– Bom dia senhores! – diz Ventania.

– Bom dia meu amigo – diz Olindo já de pé.

– Vamos rapazes, estamos atrasados para o encontro com Turmio – diz Lucas.

Todos se levantam e tudo está pronto para seguirem adiante.

– Fica muito longe o Vale dos Monges, Ventania?

– Não, Olindo, caminharemos por meia hora e logo chegaremos ao lugar.

– Então é rápido.

– Sim, estamos muito próximos do destino.

Todos já estão sobre seus cavalos e se dirigem ao Vale dos Monges lentamente.

– Ventania, posso lhe perguntar algumas coisas?

– Claro, Olindo, fique à vontade.

– Como é viver como Caboclo?

– Eu sempre fui Caboclo.

– Eu sei disso, mas digo, como é viver aqui neste lugar como índio?

– Eu não vivo aqui, na verdade minha morada é em Aruanda.

– Aruanda é uma Colônia?

– Sim, Aruanda é onde vivem os Orixás e demais entidades.

– Orixá é aquele negócio de Macumba né?

– Negócio, como assim?

– São aqueles santos da Umbanda ou Candomblé Macumba, sei lá, eu não entendo muito bem disso.

– Aqueles santos da Umbanda e do Candomblé, são tratados por alguns como Orixás, mas na verdade Orixá é uma força divina, são os sete raios de Deus, e foram sincretizados como santos católicos, criação da Umbanda, e está assim até os dias de hoje. Macumba é uma espécie de árvore africana e também um instrumento musical utilizado em cerimônias de religiões afro-brasileiras, como o Candomblé e a Umbanda. O termo, porém, acabou se tornando uma forma pejorativa de se referir a essas religiões – e, sobretudo, aos despachos feitos por alguns seguidores. Na árvore genealógica das religiões africanas, a macumba é uma forma variante do Candomblé que existe só no Rio de Janeiro. Macumba também é um instrumento feito a partir de uma árvore que tem o mesmo nome. Entendeu?

– Sim, claro que sim, mas como assim, sete raios de Deus?

– Cada lugar desse Universo, cada energia do Universo, cada elemento do Universo, cada raio criador detém uma força divina e é regida por um Orixá, porque assim Ele quis.

– Você fala dos elementos de Deus?

– Sim. Cada elemento de Deus da força da Criação é regido e administrado por um Orixá. Assim tudo se harmoniza. Não estamos sozinhos no Universo, Ele cuida para que tudo funcione perfeitamente para a alegria dos Seus filhos.

– Posso participar dessa conversa senhores? – diz Ramsés.

– Seja bem-vindo – diz o Caboclo.

– Eu estava ouvindo vocês falando de Orixás, eu frequentei durante um tempo um centro de Umbanda, e conheci alguns Orixás lá.

– É que o Ventania disse que vive em uma Colônia onde moram esses Orixás, você sabia disso Ramsés?

– Sim, eu já tinha ouvido falar de Aruanda. Disseram-me que é um dos lugares mais lindos do mundo!

– Realmente é – diz Lucas se aproximando.

Os cavalos andam lentamente lado a lado, todos querem ouvir os ensinamentos de Ventania.

– Como é lá, Ventania?

– Aruanda é uma das mais antigas Colônias instaladas sobre o orbe terreno. Lá nós temos rios, cachoeiras, florestas, lagos, jardins, centenas de moradas, é um lugar lindo onde todos os que vivem lá trabalham pela harmonização do planeta Terra. Temos crianças, adultos, velhos, enfim, milhares de espíritos comprometidos com o bem comum que vivem e servem em Aruanda.

– E por que você está aqui?

– Nós estamos ligados uns aos outros por milhares de anos, às vezes por algumas encarnações. Exemplo: eu posso ter experimentado com vocês em algum tempo pretérito da minha vida, e decidi ajudá-los agora.

– E isso pode?

– Tudo nos é permitido quando queremos fazer o bem, Olindo – diz Lucas.

– Será que eu já fui índio em alguma vida? – pergunta Aramís.

– Por isso lhe disse que você é meu maior desafio, lembra? – diz Ventania.

– Sim, agora eu quero saber que ligação é essa Ventania, por favor não me deixe sem resposta.

– Lucas já vos alertou que quando todos estiverem reunidos nós revelaremos os motivos desse encontro, não foi senhores?

– Sim, Lucas já nos avisou sobre isso.

– Pois bem senhores, temos que esperar pelo encontro dos outros amigos.

– Quantos ainda faltam, Ventania? – pergunta Aramís.

– Falta encontrar o Turmio, o Lorenzo, a Rebeca e finalmente o Dimas.

– Poxa vida ainda falta isso tudo – reclama Olindo.

– Tenha paciência, Olindo, estamos indo ao encontro de todos.

– Quero saber logo sobre o meu passado – diz o rapaz.

– Quero mais é saber sobre o meu futuro – diz Ramsés.

– E você Aramís, o que quer saber? – pergunta Ventania.

– Eu quero mesmo é ver meus filhos.

– Quantos filhos você tem Aramís? – pergunta Olindo.

– Quatro.

– E quais os nomes deles?

– Bráulio é o mais velho, o Davi é o caçula, tem ainda a Leonora e a Ludmila que já estavam casadas quando eu morri. Além, é claro, da minha esposa, a Débora, de quem eu sinto muitas saudades.

– Se tudo nos for permitido, eu pessoalmente o levarei para rever todos os seus familiares, Aramís – diz Ventania.

– O que eu preciso fazer para conseguir isso, meu amigo índio?

– Por ora, nada. Mais à frente vamos conversar sobre isso.

– Sem problemas, eu aceito sua determinação.

– Isso é muito importante por aqui rapazes.

– O que, Lucas?

– Ouvir quem está acostumado a esse lugar – diz Lucas.

– Sem dúvida. Olhem como a estrada está escura – diz Ramsés.

– Já estamos chegando ao Vale.

A escuridão toma conta de todo o lugar, mal dá para ver o caminho. Os cavalos acostumados àquela região seguem a passos lentos sem fazer barulho.

– Amigos, daqui por diante não façam barulho.

– Sim Ventania – dizem todos.

Espécies de vagalumes gigantes começam a voar sobre as cabeças dos viajantes, Olindo está assustado e Ventania se aproxima dele e diz em voz baixa.

– Não faça barulho, esses vagalumes estão aqui para clarear a estrada para nós, mas ao menor barulho eles nos atacam, então mantenham-se em silêncio profundo.

Todos acenam com a cabeça confirmando o silêncio.

Após algum tempo uma enorme clareira se abre à frente dos viajantes, e logo se pode ver uma pequena vila com templos diferentes. Há templos com imagens indianas, outros com imagens talhadas em madeira, há um maior que todos ao centro da praça, onde se pode ver monges sentados na escadaria de acesso.

Há vários espíritos andando pelas ruas, casas, lojas, jardins, crianças, animais, tudo em perfeita harmonia.

– Posso falar agora, Ventania?

– Sim, Olindo!

– Que lugar bonito esse!

– Sim, o Vale dos Monges é um lugar muito bom de se viver, embora seja aqui no Umbral.

– A única coisa que está faltando aqui é o Sol – diz Ramsés.

– Se tivesse o Sol aqui, o Vale seria uma Colônia, mas ainda está longe de ser perfeito.

– As Colônias são perfeitas?

– Sim, Aramís, as Colônias são onde vivem os espíritos que já conseguiram um destaque na vida espiritual. E sendo assim os pensamentos por lá são positivos, e o pensamento positivo por aqui é tudo.

– Será que algum dia eu vou conseguir viver em uma Colônia?

– Esse é o destino de todos os espíritos meu amigo – diz Lucas.

– Onde é que está o Turmio, vocês sabem Lucas?

– Ele está logo à frente, ele é o administrador do Templo Azul.

– Templo Azul, mas eu não estou vendo nenhum templo azul. – diz Ramsés.

– Venham rapazes, desçam de seus cavalos e vamos entrar nessa viela.

Todos descem de seus cavalos e após amarrarem os animais seguem por uma estreita viela à direita da rua principal. Logo eles chegam a um pequeno templo onde se pode ler na porta, Templo de Deus.

– Esse é o Templo Azul, Lucas?

– Vamos entrar rapazes.

Delicadamente, Ventania abre a porta, que mede aproximadamente dois metros de altura por dois metros de largura. Ventania abre uma das abas da porta e todos ficam maravilhados com o que veem.

O templo é todo azul por dentro, cristais descem do teto pendurados em linhas coloridas, a luz do lugar é um azul que contrasta com todo o mobiliário com várias tonalidades de azul, uns azul claro, outros azul escuro e tons de azul nunca visto por todos da pequena caravana. O lugar é mágico e encanta com tanta beleza.

– Nossa que lugar lindo é esse, Ventania?

– Nossa – diz Ramsés.

– Gostaram?

– Sim, Ventania, que lugar mágico – diz Aramís.

– Venham, vamos nos sentar e esperar por Turmio.

– Ele vive aqui, Lucas? – pergunta Olindo.

– Sim, ele é o administrador deste lindo lugar como já vos disse o Ventania.

– Deve ser muito bom viver aqui, olhem a beleza e o silêncio que é esse lugar, rapazes – diz Olindo.

– Os espíritos vêm aqui para meditar.

– Então esse lugar é um lugar bom aqui dentro do Umbral?

– Existe muita coisa boa aqui no Umbral, rapazes – diz Ventania.

– Então por que é que nós estávamos em lugares horrorosos?

– O que levou vocês para o lugar em que se encontravam é o sentimento que vocês carregavam dentro do peito. Tudo aquilo que desejamos se torna possível em nossas vidas, quando desejamos o bem ele é possível, assim também é com o mal. Disse Jesus que onde estiver o seu coração ali também estará o seu tesouro. Sendo assim, vocês estavam vibrando com o lugar em que se encontravam. Só assim ele era possível.

– Então por que você nos tirou de lá, Lucas? O que foi que mudou dentro de nós para permitir que saíssemos de lá?

– O perdão, como já falei. O perdão, rapazes.

– Ele já nos explicou isso, Olindo – disse Ramsés.

– Se eu soubesse que me arrependendo eu não sofreria tanto, eu já teria me arrependido antes – diz Aramís.

– Esqueçam o que passou, vamos nos concentrar no futuro, pois vocês vão precisar de muita concentração para conseguir atingir seus objetivos.

– Pode deixar, Ventania, estamos decididos a não viver em sofrimento mais.

– Isso é bom – diz o Caboclo.

Uma sineta anuncia que alguém vai se apresentar no pequeno altar que há a frente dos diversos bancos posicionados como uma arrumação de igreja, embora não haja altar e muito menos imagens.

Um homem de barba e cabelos brancos se apresenta vindo do fundo do salão.

– Meu amigo Ventania, que bom vê-lo aqui – diz Turmio se aproximando.

Olhos azuis, cabelos brancos e uma barba longa também branca não esconde se tratar de um jovem sábio. Seus dentes brancos chamam a atenção da bela face do rapaz de aproximadamente um metro e noventa.

– A felicidade é minha, Turmio – diz Ventania abraçando o amigo.

– Olá Lucas, como vai?

– Estou bem, Turmio – diz Lucas abraçando o rapaz.

– Esses são os que seguiram conosco para o lado esquerdo?

– Sim, ainda faltam alguns, mas estão no caminho ao qual temos que seguir.

– Eu já estou com tudo pronto. Preparei uma carroça com panelas, comida, água e tudo o que precisaremos para a viagem. Podemos ir imediatamente. Mas antes me apresentem os rapazes.

– Esse é o Olindo, esse o Ramsés e esse o Aramís! – diz Lucas apresentando todos.

Todos cumprimentam Turmio em silêncio, na verdade estão impressionados com a beleza do rapaz.

– Todos apresentados podemos ir.

– Vamos sim, Turmio – diz Lucas.

– Posso fazer uma pergunta? – diz Olindo.

Todos se viram e olham sérios para o rapaz que sem jeito diz:

– Deixa pra lá, era só uma curiosidade.

Todos riem muito da cara de Olindo.

– Pode perguntar, rapaz – diz Turmio feliz.

– Você vai deixar para trás esse lindo lugar?

– Sim, terminou o meu tempo aqui.

– Perdoe-me a ignorância, mas o que compensa mais do que viver em um lugar tão lindo como esse?

– Evolução, rapaz, evolução!

– Nós, espíritos criados por Deus, estamos no Universo para evoluir, Olindo, qualquer oportunidade evolutiva deve ser abraçada como sendo a última, pois não sabemos quando teremos a próxima. Assim, Turmio agradece o tempo vivido aqui, mas decidiu que precisa seguir evoluindo e para evoluir as vezes temos que deixar para trás coisas e pessoas que amamos, é assim na encarnação e é assim aqui na vida espiritual.

– Escolhas, é isso Ventania? – pergunta Aramís.

– Exatamente isso, escolhas, são elas que te definem.

– Somos o resultado das escolhas e dos sentimentos, meu rapaz – diz Turmio. – Eu vivi aqui durante sete anos, agora é chegada a hora de ascender a mim mesmo, e eu só conseguirei isso se abraçar a oportunidade que me é oferecida agora.

– Ainda bem que estamos tendo essa oportunidade, né Ramsés – diz Olindo.

– Graças a Deus. Prometo a vocês que não vou desapontá-los, meus amigos, ainda nem sei o que tenho que fazer para evoluir, mas confio que vocês estão me levando para o caminho certo e vou me entregar totalmente à minha evolução.

– Belas palavras Olindo – diz Lucas.

– Agora vamos rapazes, não podemos mais perder tempo – diz Ventania se dirigindo a porta principal do templo.

Ao chegarem à parte de fora do lugar todos ficam maravilhados com a carruagem montada por Turmio para a viagem. Nela há fogão, roupas limpas, toalhas, cobertas, pequenos colchões, fartas vasilhas com comidas, vários galões com água e ainda espaço para descanso e algumas redes presas nos trilhos que compõem a carruagem.

– Nossa que carruagem linda, Turmio – diz Olindo.

— Ela foi preparada especialmente para essa viagem.

Um grupo de aproximadamente vinte pessoas estava ao lado da carruagem, que tinha dois cavalos negros e altos com as crinas bem cortadas. Todos estavam vestidos com uma burca branca, haviam rapazes e meninas, todos estavam chorosos e tristes com a partida de Turmio. Ele gentilmente abraçou um a um e agradeceu pelo tempo vivido ao lado deles. Foi um momento de muita tristeza e lágrimas.

— Agora vocês sabem o que devem fazer, eu tenho um novo caminho a trilhar e tenho certeza que vocês estão preparados para tomar conta do Templo. Que Jesus abençoe a todos vocês.

Os jovens choravam pela partida de Turmio, e todos os que assistiam aquela cena ficaram comovidos.

Ventania monta em seu cavalo e toma a frente da comitiva.

— Vamos rapazes, vamos para o lado esquerdo.

Após algum tempo cavalgando, Olindo se aproxima de Lucas para lhe perguntar algumas coisas. Ao perceber a curiosidade do rapaz, Lucas pede a ele que aguarde quando fizerem uma parada para descanso, e aí sim ele poderá fazer as suas perguntas.

Por muitas horas todos cavalgaram em silêncio.

"Quando nos unimos no amor, nos aproximamos de Deus."

Osmar Barbosa

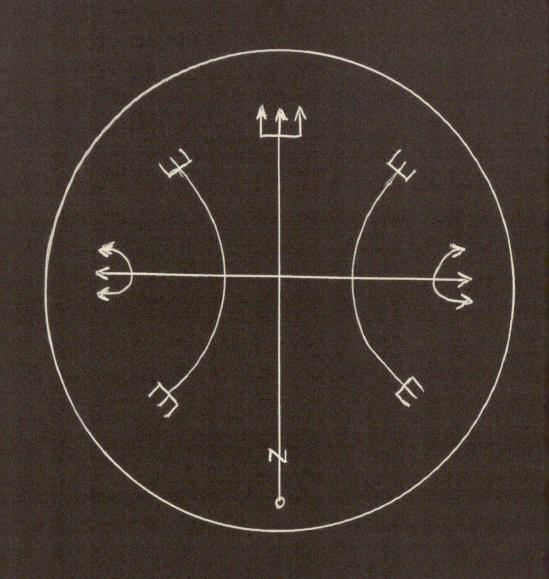

Lorenzo

Após longas horas cavalgando em silêncio, o Caboclo Ventania ordena uma parada para o descanso de todos e dos animais.

O lugar escolhido é plano com uma relva seca e escura, não há árvores no lugar, apenas algumas rochas gigantes. O Caboclo ordena que a carruagem seja escondida entre duas rochas que têm aproximadamente uns quinze metros de altura cada uma, ambas encostadas formam uma caverna sem fundo. Ali, Turmio estaciona a carruagem e começa a tirar dela utensílios necessários para montar um fogão onde pretende cozinhar alguma coisa para todos.

Ventania ordena aos rapazes que catem lenha para que seja feita uma fogueira. Ramsés, Aramís e Olindo saem para catar lenha.

Lucas se aproxima de Ventania para conversarem.

– Ventania, quero aproveitar que os rapazes não estão aqui para lhe perguntar algumas coisas, pode ser?

– Sim, claro meu amigo!

– Vamos para o lado esquerdo direto, ou vamos parar nos portais?

– Vamos parar nos portais para nos encontrar com Rebeca e Dimas.

– Quanto ao Lorenzo?

– Ele já está acampado no meio do caminho nos esperando.

– Estou otimista com esse grupo, acho que eles irão aceitar seus novos caminhos sem grandes percalços.

– Eu também, Lucas. Espero sinceramente que eles aceitem o que o destino preparou para eles e que sigam evoluindo.

– Turmio, vem até aqui por favor – diz Ventania.

Turmio deixa o que está fazendo e se junta ao grupo.

– Estávamos aqui conversando sobre Ramsés, Olindo e Aramís. Cremos que eles irão aceitar a evolução oferecida sem grandes percalços – diz Ventania.

– No que depender de mim todos irão progredir.

– Tenho certeza disso – diz Lucas.

– Eu só acho que eles precisarão passar um longo tempo ainda nas rodas de aprendizado.

– Isso faz parte da evolução de cada um. Não há aprendizado sem força de vontade e lição – diz Lucas.

– Claro que sim – diz Ventania.

– Quanto aos outros, como estão?

– Lorenzo está nos esperando acampado na estrada, meus companheiros estão trazendo Rebeca e Dimas e nos encontram nos portais.

– Para mim será um desafio, mas me preparei orando a Deus e agradecendo pela oportunidade – diz Turmio.

– Você não me preocupa, minha maior preocupação é com Dimas e Aramís.

– Por que Ventania?

– Pelo que eles viveram antes de vir para cá.

– Você acha mesmo que a vida que eles levavam pode ser um problema aqui?

– Eu acho que a vaidade e o ego podem os trair – diz Ventania.

– Pensando assim, eu também acho que isso pode ser problema, Ventania – diz Lucas.

– Meus amigos, nós devemos é respeitar as ordens superiores, vamos fazer a nossa parte. Cada um é responsável por aquilo que escolhe. Nós somos somente os condutores, nossa missão é importunar esses sete espíritos a uma nova realidade evolutiva, só dependerá deles seguir adiante ou não.

– Tens razão, Ventania!

– Eu também acho que é isso que devemos fazer. Sei exatamente o que me espera pela frente e estou preparado para o desafio. Quanto aos outros, tentarei ser um exemplo para eles.

– Faça isso Turmio – diz Lucas.

– Isso mesmo Turmio, seja um exemplo para eles – diz Ventania.

– Olhe, eles estão voltando, vamos mudar a conversa.

– Sim, eu vou preparar alguma coisa para comermos.

– O que trouxestes aí, Turmio?

– Eu trouxe arroz, algumas rosquinhas feitas no Templo, ervas para um bom chá e lascas de carne de carneiro defumadas.

– Essa turma vai gostar muito do jantar de hoje – diz Ventania.

– Chegamos, essa quantidade de lenha é suficiente para hoje, Turmio? – pergunta Olindo.

– Sim, é o suficiente. Hoje os senhores poderão matar a saudade da comida dos encarnados, eu trouxe algumas coisas e vou preparar para vocês.

– Que bom – diz Olindo.

– Olhe, Ramsés, teremos comida para o jantar – diz Aramís.

– Tem muito tempo que eu não sei o que é isso, mas vamos experimentar, quem sabe me faz lembrar dos jantares quando eu estava encarnado.

– Perdoe-me a pergunta, Turmio, mas nós estamos mortos e mortos não comem. Qual é a sua intenção quando prepara comida para o jantar?

– Em primeiro lugar tudo é possível quando desejamos realmente, assim comer é um ato normal aqui no Umbral. Outra coisa é que lá na esquerda alimentos são muito importantes para nós, assim é bom os senhores já irem se acostumando.

– Lá na esquerda? Que lugar é esse?

– Após o jantar nós vamos conversar um pouco sobre isso – interfere Ventania nos questionamentos de Olindo.

– Agora venham rapazes, me ajudem a montar o fogão e os vasilhames que necessito para preparar a refeição.

– Vamos sim – diz Ramsés.

Turmio prepara com carinho uma bela refeição onde todos se sentam em volta da fogueira e se alimentam. O único a não participar é o Caboclo Ventania, que se senta no alto do rochedo e fica vigiando o lugar. Na verdade, guardando e protegendo o grupo que animadamente conversa e ri alegre com o jantar.

Após algumas horas, todos sentados veem chegar dois

cavalos solitários sem montaria. Ventania imediatamente corre em direção aos animais e como um encantador os leva para próximo de todos e lhes dá de beber.

Sedentos, os animais ficam próximos ao Caboclo, que lentamente enlaça os animais e os junta aos demais cavalos da comitiva.

Todos assistem a cena pasmados com a destreza do nobre índio.

Olindo se aproxima de Ventania e o ajuda a prender os animais.

– Pronto, estão presos – diz o rapaz.

– Obrigado, Olindo, por sua ajuda.

– De onde surgiram esses animais, Ventania?

– Eles vieram ao nosso encontro porque estão com sede e abandonados.

– Iremos precisar deles?

– Talvez sim, talvez não, mesmo assim vamos garantir nosso futuro.

– Você não comeu com a gente. Você está chateado com alguma coisa?

– Não, minha função aqui é a segurança do grupo, por isso não podemos relaxar, o Umbral é muito perigoso.

– Entendo. Quando partiremos ao encontro dos outros?

– Amanhã bem cedo.

– Venha sentar-se conosco, eu gosto muito dos seus ensinamentos.

– Vamos sim – diz Ventania.

Ventania e Olindo, após prender os novos animais e alimentá-los, se dirigem à roda de amigos sentados em volta da fogueira. A conversa é alegre e todos estão felizes.

– Olha quem chegou, se não é o nosso amigo, o Caboclo Ventania – diz Ramsés.

– Seja bem-vindo Ventania – diz Lucas – Sente-se aqui meu amigo.

Ventania se senta ao lado de Lucas.

– O que estávamos conversando, rapazes? – diz Lucas.

– Idiotices que fiz na minha última vida – diz Aramís.

– Aramís estava nos contando da vida farta que ele levava, Ventania, das riquezas, das viagens, das maracutaias da vida pública.

– Espero que esteja arrependido – diz o Caboclo.

– Arrependido é pouco, meu amigo Índio, se eu tivesse noção do que me aconteceria após a morte, podes ter certeza que eu nem estaria aqui. Essa hora eu estaria com duas asas presas nas costas tocando harpa em alguma nuvem do céu.

Todos riem.

– Você acha mesmo que essa bobagem de tocar harpa em uma nuvem do céu existe? – diz Olindo.

Todos riem.

– Foi assim que me ensinaram – diz Aramís.

– Pois nem nisso você acreditou, meu amigo – diz Ramsés.

– Não dá para acreditar mesmo em asas e muito menos em anjos, vocês não acham? – diz Aramís.

– Você poderia pelo menos acreditar em alguma coisa após a vida, já seria um bom caminho para você, Aramís – diz Olindo.

– Quando estava encarnado eu sempre achei que não fazia sentido a vida terminar após a morte – diz Turmio.

– Conte-nos um pouco de você, Turmio – diz Olindo.

– Posso contar, Lucas?

– Sim, claro que sim, meu amigo!

– Eu me lembro muito bem da minha última encarnação. Parece que foi ontem, mas sei que muitos anos já se passaram. Eu nasci na Mesopotâmia, que na verdade é o nome dado à área do sistema fluvial de Eufrates, que fica perto do

Iraque, Kuwait e faz parte da Síria. É uma das regiões ao longo daquelas fronteiras. Isso faz muito tempo. Foi lá que eu arruinei a minha existência. Depois tive outras encarnações purgatórias que me auxiliaram a chegar onde estamos hoje. Mas foi nessa encarnação que marquei para sempre a minha existência. Como os amigos podem ver, existem alguns milhares de anos que me prendem ainda à realidade atual. Porque as coisas na vida espiritual são assim, algumas faltas que cometemos podem demorar séculos para serem resolvidas. Que sirva de lição para todos o que eu vou contar a vocês. Estou aqui no Umbral há aproximadamente cento e vinte e cinco anos. Minha última vida foi na Índia, onde aprendi a meditar e através da meditação profunda expurgar os carmas do meu ser. Tornei-me monge no templo de Laxminath. Lá aprendi a meditar e a perdoar-me, porque não adianta você perdoar o próximo se não sabe perdoar a si mesmo. Foram muitos anos jejuando e comungando até que consegui me livrar de boa parte de meus carmas e aprendi a usar a meditação para auxílio ao próximo. Assim, agora eu recebo mais uma chave, a chave do perdão dos meus erros e poderei ser útil aos encarnados através da legião que montaremos para auxílio.

– Não estou sabendo dessa legião – diz Olindo.

– No momento certo saberemos de tudo – diz Ramsés – Não é isso, Lucas?

– Sim, no momento certo vocês saberão de tudo Ramsés, Olindo e Aramís.

– Não adianta perguntar, Olindo, eles não vão responder – diz Aramís.

– Amigos se vocês não perceberam prestem atenção em tudo o que falamos. Na verdade, nós estamos passando ensinamentos que lhes serão muito úteis quando receberem a oportunidade que temos para lhes oferecer – diz Ventania.

– Tento aprender com suas palavras, meu amigo – diz Olindo.

– Vou passar a prestar mais atenção nas coisas que você faz e fala, Ventania – diz Ramsés.

– O que foi que você fez de tão grave na Mesopotâmia, Turmio?

Por alguns segundos o silêncio invadiu o lugar.

Turmio, de cabeça abaixada, parece que quer chorar. Seus olhos se enchem de lágrimas e todos se calam esperando pelos ensinamentos do jovem rapaz.

– Eu me tornei sacerdote na tribo em que vivia. Tudo ia muito bem até o dia em que nasceu Limara. Ela era a criança mais linda de todas as tribos e se tornou a jovem mais cobiçada por todo o lugar. Eu já havia me casado e tinha uma filha chamada Cariz. Acontece que eu me apaixonei perdidamente por Limara, mas como sacerdote eu não podia ter duas ou mais mulheres. O rei Cambises desejou ter a jovem como esposa, então eu como feiticeiro e sacerdote bolei um plano para fugir com Limara, mas como, se ela não me amava? Como eu poderia fugir com alguém que sequer olhava para mim? E minha família o que faria dela? E o rei? Foi então que sordidamente eu envenenei a minha esposa e minha filha, encantei Limara e fugimos para a Síria. Logo que o encantamento acabou, ela se suicidou, porque era apaixonada por Túlios, filho de um nobre da corte. Assim eu carrego essa dor por tantos séculos, vivo triste porque eu fiz a pior das piores covardias, matei a minha filhinha que só tinha seis anos. Fui e sou um covarde.

– Mas você não reencarnou depois desse fato?

– Reencarnei várias vezes, mas sempre deprimido e sofrendo. Foram oito as encarnações que eu me suicidei. Eu não conseguia viver encarnado.

– E durante esse tempo que você está aqui no Umbral, o que você faz para esquecer tudo isso?

– Existem coisas que a gente faz que são inesquecíveis. O meu problema não é exatamente o que eu fiz e sim o perdão desses espíritos que até hoje eu não recebi. Vocês sabem que precisamos ser perdoados para conseguirmos seguir em frente. Olhem para vocês. Só estão aqui porque suas vítimas os perdoaram, caso contrário ainda estariam presos a seus sentimentos e suas mazelas.

– Tenho pena de você, Turmio – diz Olindo.

– Não sinta pena de mim, só não faça o que eu fiz.

– E eu achando que ser político ladrão é a pior coisa do mundo – diz Aramís.

Todos riem novamente.

– Agora não adianta se lamentar do que fizeram, todos estamos tendo uma nova oportunidade. O segredo é nos agarrar a ela e nos salvar desses sentimentos que nos destroem todos os dias – diz Ramsés.

– Muito bom, Ramsés – diz Lucas.

– Obrigado Lucas, mas você é quem me deu essa oportunidade e esse ensinamento.

– Vejam senhores, é isso que precisamos, que vocês se compreendam como espíritos eternos e se perdoem por suas falhas. E o principal, as corrijam – diz Ventania.

– Estou louco para abraçar a minha oportunidade, Ventania – diz Olindo.

– Ela está próxima rapazes – diz Lucas.

– Agora precisamos descansar, logo cedo partiremos para o encontro com Lorenzo. Arrumem tudo e descansem – diz Ventania se levantando.

Todos se recolhem para o descanso do dia.

Ventania sobe novamente nos rochedos e fica a vigiar o descanso de todos.

Após algumas horas, e vendo que todos estavam dormindo, Lucas vai ao encontro do Caboclo para conversarem.

– Olá Ventania, posso me sentar ao seu lado?

– Claro, Lucas, sente-se!

– Você não vai descansar?

– Já estou descansando.

– Meu amigo Ventania, eu gostaria muito de te pedir um favor.

– Peça Lucas.

– Estou em Amor e Caridade há muitos anos. Tenho vergonha de pedir ao Daniel o que vou conversar com você. Na verdade eu quero mesmo é ouvir os seus conselhos.

– Pode contar comigo, Lucas – diz o Caboclo.

– Tenho que te confidenciar que tenho receios quanto a missão que ofereceremos a esse grupo. Ser Exu não é para qualquer um, embora eles tendo passado um bom tempo nas rodas de aprendizagem, eu fico preocupado com Aramís.

– O que te preocupa em Aramís.

– Ele foi político, é um espírito esperto, sabe como ninguém enganar, é sórdido, e pode ser traiçoeiro. Sei de sua ligação com ele, e é exatamente por isso que decidi conversar com você.

– Agradeço a sua preocupação, vamos fazer assim: nas rodas de aprendizagem eu vou acompanhar bem de perto os sentimentos e as atitudes de Aramís. Como sabes, ele foi meu irmão quando fui o cacique da minha tribo e casou-se com a minha melhor amiga, a índia Jussara. Tenho uma dívida de gratidão com ele, pois foi ele quem me salvou de um ataque de cobra que sofri, não fosse sua magia provavelmente eu não teria terminado aquela encarnação como terminei, por isso estou aqui. A roda de aprendizagem é condição para os espíritos que desejam trabalhar nos centros de Umbanda e Candomblé, embora os encarnados achem que os índios que trabalham nas falanges de caboclos sejam índios que desencarnaram quando eram índios. Isso não é verdade, como sabemos, oportunidades são indispensáveis por aqui. Para se trabalhar como Exu é necessário o tempo mínimo de sete anos nas rodas de aprendizagem, tudo é ensinado aos espíritos que trabalharão na esquerda. Por isso te prometo que durante o tempo em que esse grupo estiver nas oficinas de aprendizagem, eu estarei ao lado deles para vigiá-los e os auxiliar a compreenderem a oportunidade oferecida e se tornarem excelentes Exus.

– Agora eu fico mais tranquilo, ouvindo isso de você.

– Fique tranquilo, eu te prometo que vou acompanhá-los até que recebam um cargo na esquerda.

– Obrigado Ventania.

– Agora me fale de seu medo quanto aos assuntos com o Daniel.

– Às vezes tenho vergonha de dizer o que vou te dizer, mas tenho mais liberdade para conversar com você.

– Desembucha Lucas – diz Ventania.

– Estou há muito tempo aqui no Umbral, penso que já mereço uma promoção. Não é que eu não goste do que faço, é que eu sinto a necessidade de ascender, entende?

– Sim, entendo perfeitamente. E por que é que você não conversa isso com o Daniel?

– Eu tenho vergonha, Ventania.

– Vergonha é uma coisa que não existe aqui, Lucas.

– Eu fico sem jeito, o Daniel já fez tanto por mim, ele é como um pai para mim.

– Então conversa com ele, rapaz.

– Me falta coragem, Ventania.

– Você quer que eu converse com ele?

– Não, eu preciso juntar forças e falar com ele pessoalmente.

– Eu também acho.

– Obrigado por me ouvir, meu amigo.

– Estou sempre aqui, Lucas.

– Obrigado.

– Vá descansar, amanhã teremos um dia cheio.

– Vou sim, até amanhã.

– Até Lucas.

Assim, Lucas segue para onde estão descansando os outros espíritos enquanto Ventania vigia o descanso de todos.

"Encontros, desencontros, chegadas e partidas, assim é a evolução dos espíritos."

Osmar Barbosa

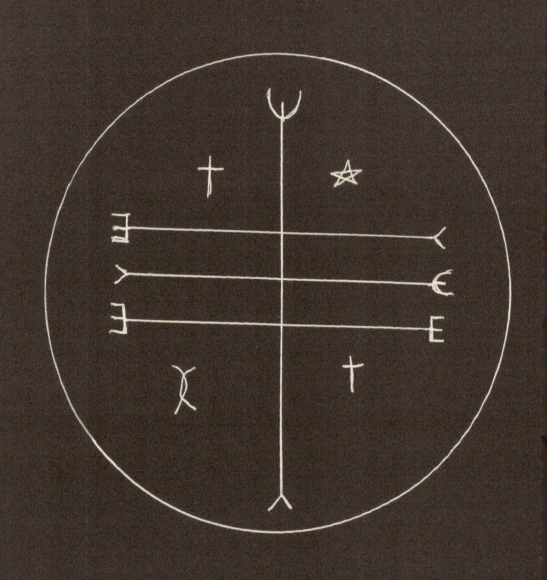

O Reencontro

Todos se levantam bem cedinho e, após tudo arrumado, seguem lentamente pela estrada barrenta do Umbral. A escuridão é quebrada com pequenos raios de sol que insistem em atravessar as densas nuvens escuras que cobrem todo o lugar.

– Vamos rapazes, vamos – diz Ventania à frente do grupo.

– Venha Turmio – diz Olindo parelhando o seu cavalo ao do amigo.

– Muito comovente a sua história – diz ele.

– Obrigado – diz Turmio.

– Você nunca mais teve notícias da sua família?

– Após várias encarnações espalhadas pelo mundo eu reencarnei seis vezes no Brasil, e em todas elas eu me suicidei. E todas as vezes que eu chegava dessas encarnações aqui no Umbral, nunca teve ninguém que me explicasse por que isso acontecia comigo. Logo em seguida, reencarnei na Índia, onde me elevei e estou aqui, embora tenha desencarnado com vinte e seis anos. De algumas de minhas vidas eu consigo me lembrar, mas as que sucederam ao sacerdócio, eu não consigo me lembrar.

– Você se suicidou quando vivia na Índia?

– Praticamente.

– Como assim, praticamente?

– Eu adoeci e desencarnei.

– E qual foi a doença?

– Desencarnei vítima de Histoplasmose.

– E o que é isso?

– Uma doença transmitida pelos pombos.

– Ah, compreendo.

– Lá no mosteiro tinha muitos pombos, e embora os outros monges tivessem me alertado eu vivia ao lado deles, eu adorava alimentá-los.

– É, mas não foi suicídio.

– É, não foi.

– Desde então você vivia aqui?

– Sim, logo que cheguei fui trazido para o Vale dos Monges e o Lucas me ofereceu trabalhar no templo.

– Você conhece o Lucas há muito tempo?

– Alguns anos.

– Você o conhecia antes de vir para cá?

– Conheci o Lucas na zona de sofrimento. Ele esteve lá e me resgatou.

– O que é isso de zona de sofrimento?

– É um pântano, os espíritos que ainda não compreenderam o desencarne ficam imersos nele.

– Caramba, isso deve ser horrível.

– É um lugar de muito sofrimento. Os espíritos se amontoam tentando se aquecer, mas não há como se aquecer imerso em lama fedorenta.

– Meu Deus, ainda bem que eu não passei por esse lugar.

– Ainda bem, Olindo.

– Como você já sofreu, né meu amigo?

– Sim, eu espero agora encontrar a minha felicidade.

– Nós também estamos esperançosos.

– Vai dar tudo certo.

– Por que você diz isso?

– Porque eu confio no Lucas e no Ventania.

– Essa história de um índio dentro do Umbral eu também não entendi muito bem.

– Ele não é um índio qualquer, ele é um guardião, e os guardiões podem andar por vários lugares, eles têm essa permissão.

– Eu não sabia disso!

– Tem muita coisa que vocês ainda precisam compreender e aprender aqui.

– Você já sabe de bastante coisa, né Turmio.

– Estou há muitos anos por aqui meu amigo.

– Que Deus nos auxilie daqui para frente.

– Amém – diz Turmio.

– Veja, estamos chegando a um pequeno acampamento, é lá que está Lorenzo – diz Turmio.

Turmio e Olindo galopam rapidamente para encontrar-se com Ventania e Ramsés, que seguem à frente.

– Chegamos Ventania?

– Sim, chegamos rapazes. Chega essa carruagem para lá Turmio, você não quer causar um acidente não é rapaz?

– Perdoe-me Ventania – diz Turmio reduzindo a velocidade.

Há um pequeno acampamento à beira da estrada, parece vazio. Uma barraca feita com um pano verde e uma pequena fogueira ainda acesa aquece o lugar.

Ventania se aproxima e assobia alto.

Logo por detrás de uns arbustos secos surge um homem, magro, de estatura mediana, negro de olhos verdes e cabelos longos. Ele veste uma calça preta e uma blusa de mangas compridas da mesma cor. Usa um chapéu tipo de boiadeiro e traz amarrado à sua cintura um chicote.

– Olá Lorenzo – diz Ventania descendo do cavalo.

– Olá querido amigo.

Lorenzo e Ventania se abraçam.

Todos se aproximam e cumprimentam Lorenzo apertando-lhe a mão.

– Olá Lucas, como vai?

– Estou bem, Lorenzo, onde você estava homem?

– Às espreitas, sabe como é o Umbral não é Lucas.

– Essa região é muito perigosa mesmo – diz Lucas.

– E então vamos seguir adiante?

– Vamos sim, Lorenzo, arrume as suas coisas e vamos partir.

– Já te apresentaram os amigos, não é?

– Só não me disseram seus nomes, parece que têm medo de mim – risos.

– Esse é o Aramís, esse é o Olindo, aquele ali é o Ramsés, e o Turmio você já conhece né?

– Sim, o rapaz do templo.

– Ele mesmo.

– Deixa eu arrumar as minhas coisas e poderemos ir.

– Coloque as suas coisas na carruagem e pegue um dos cavalos presos lá atrás.

– Obrigado Ventania.

– Vamos senhores, vamos seguir para o lado esquerdo do Umbral.

– Antes vamos fazer uma parada nos portais, pois é lá que encontraremos o restante do grupo.

– Certo, vamos lá – diz Olindo.

Aramís se aproxima de Ventania e pede para falar com ele em particular.

– Ventania me perdoe, mas eu posso falar com você em particular?

– Sim, claro, venha – diz o Caboclo se afastando montado em seu cavalo.

Aramís o segue, também montado.

– Esse Lorenzo, acho que eu o conheço. Mas ele não me reconheceu.

– De onde você o conhece?

– Meu pai tinha uma fazenda e lá vivia um senhor de nome José de Arimatéia, ele era o pião de confiança do meu pai. Era ele quem cuidava da boiada e de todos os peões. Ele era o responsável por quase tudo na fazenda Boa Esperança, de propriedade dos meus avós, herdada do meu bisavô, coisa muito antiga que mantínhamos na família por tradição. Zé de Arimatéia, como era chamado, morreu pisoteado por um cavalo brabo que o meu pai comprou. Eu ainda era um menino, mas o Zé já era um senhor de idade. Pode ser impressão minha porque esse homem que você me apresentou agora não se chama José e muito menos de Arimatéia.

– Vocês ainda terão a oportunidade de conversar, Aramís. Tenha paciência.

Muito impressionado com a figura do Lorenzo, Aramís permanece calado por sugestão de Ventania, mas algo o incomoda muito. Ele sente que conhece aquele homem.

Tudo pronto, todos seguem a viagem aos portais do lado esquerdo.

Uma estranha lua aparece no céu negro e quase sem estrelas do Umbral.

– Que céu estranho esse daqui, Lucas.

– Estamos chegando ao lado esquerdo.

– Que lugar é esse, Lucas? – pergunta Aramís.

– Tudo no Universo tem o positivo e o negativo, o masculino e o feminino, o direito e o esquerdo, o claro e o escuro, o de cima e o de baixo. Tudo que foi criado por Deus e é administrado pelos espíritos superiores precisam viver em harmonia para que tudo se cumpra conforme determinado pelo Pai. Tudo tem um lado. Assim, na psicosfera espiritual existe o lado positivo e o negativo, o direito e o esquerdo, de cima e de baixo, positivo e negativo, que são administrados, como já disse, por espíritos.

– Deixa ver se eu entendi; o lado direito é onde vivem as coisas boas e o esquerdo onde vivem as ruins, é isso?

– Não, não existe lado bom ou lado ruim, existem duas forças que precisam estar equilibradas para que tudo funcione perfeitamente. Sabendo Deus que sua Criação poderia tentar para o mal, ele deixou criar o lado negativo, ou esquerdo como queiram chamar. Para o Pai isso não importa. O que importa é que para qualquer negativo criado exista uma força igual positiva, assim para todo negativo criado existe um positivo de igual densidade para rebater.

– Meu Deus você tem razão, Lucas, como eu nunca pensei nisso – disse Aramís impressionado com o ensinamento.

Todos estão ouvindo o ensinamento de Lucas montados em seus cavalos e galopando lado a lado lentamente.

– Quer dizer que existem espíritos trabalhando nos dois lados, Lucas?

– Sim, Olindo. Há energias e forças em ambos os lados.

– Existe uma maior do que a outra, Lucas?

– Não Ramsés, elas se igualam diante do poder de Deus. O que diferencia tudo isso é a energia criadora, a energia de Deus, só ela é imutável, inquebrável, onipotente e, como disse, criadora de todas as coisas. Contra a sabedoria de Deus não há nenhuma energia.

– E esse lado esquerdo quem é que administra?

– Deus e os espíritos que já evoluíram o suficiente para receberem do Pai essa incumbência – responde Ventania.

– Como isso funciona?

– À medida que evoluímos assumimos mais compromissos com Deus. Assim, espíritos altamente evoluídos administram o lado negativo e o positivo do Universo. Eles administram ainda as coisas do dia a dia dos seres encarnados e desencarnados. O mérito é para os dois lados. Divindades administram as energias do Universo de tal forma que essas energias se misturam e auxiliam ao todo. São essas as forças ou os raios de Deus que são administrados pelos Orixás.

– Meu Deus – diz Olindo – Que lindo tudo isso!

– Realmente é muito bonita a Criação – diz Turmio.

– Quer dizer que eu posso trabalhar em um dos lados para ajudar Deus na administração do mundo?

– Sim, e é assim que tudo é feito, Olindo – diz Lucas.

– O que é que você acha que estamos fazendo aqui no Umbral hoje? – diz Ventania.

– Vocês estão nos ajudando – diz Ramsés.

– E por que estamos lhes ajudando?

– Ah Lucas, acho que vocês têm pena de nós e querem nos ajudar.

– Olindo, nós, espíritos eternos, estamos ligados uns aos outros por diversas encarnações. Já falei isso algumas vezes, prestem atenção em nossas palavras, em muitas delas fizemos mal uns aos outros, em outras ajudamos. Só se vai ao Pai quando se aprende a amar a Criação como um todo. Não adianta só amarmos, por exemplo, os animais, os pássaros, os vivos, os mortos, as crianças. Nós temos que aprender a amar todas as coisas da Criação, desde um ramo de flor à uma vida que sofre. É por isso que estamos aqui para auxiliar vocês. É por esse motivo que trabalhamos tanto em prol da criação e da harmonia do Universo.

– Ventania, muito obrigado pelo que você está fazendo por mim – diz Olindo.

– Eu também agradeço, Ventania – diz Lorenzo.

– Procurem admirar as coisas ao vosso redor. Olhem para essa lua apagada do céu do Umbral, nela também há o amor de Deus pelos seus filhos. Nunca cometam pecados que atentem à lei da criação, preservem as coisas de Deus e Ele ficará feliz e te abençoará eternamente – diz Ventania.

– Quanta sabedoria em um índio.

– Obrigado Ramsés.

– Agora precisamos acelerar o passo, temos que chegar ao portal o mais rápido possível.

– Vamos rapazes – diz Turmio acelerando os cavalos e a carruagem que passa à frente de todos.

A passo acelerado, logo todos chegam a um grande portal fechado e vigiado por vários guardiões. Uma cidade erguida em frente ao portal do lado esquerdo do Umbral.

Ventania diminui a velocidade e pede que todos cavalguem muito perto a ele. Todos obedecem.

A cidade construída em frente ao portal mais parece uma alfândega onde há uma ponte que permite acesso ao lado esquerdo do Umbral. Alguns soldados tomam conta do lugar. Espíritos apresentam papéis que são analisados e liberados para que eles possam passar de um lado para o outro.

Há várias lojas e pequenos hotéis e pousadas com espíritos sentados nas varandas. Há ainda bares e lanchonetes e várias encruzilhadas.

– Que lugar estranho esse, Ventania – diz Olindo.

– Nós ficaremos alguns dias por aqui.

– Onde vamos ficar?

– Vamos dobrar na próxima rua à esquerda, nosso destino é uma casa rosa no final da rua, avise a todos.

– Pode deixar.

Seguindo a orientação de Ventania, Olindo volta-se para trás e de cavalo em cavalo ele vai avisando do destino do grupo.

Todos galopam em silêncio em meio à multidão de espíritos que ali se encontram.

Ao final da rua há uma pequena casa pintada de rosa. A cerca é de madeira e o terreno é bem grande. Há na frente da casa uma enorme varanda que cobre toda a extensão. Um enorme ipê roxo com poucas folhas enfeita o lugar. Cadeiras espalhadas pelo quintal dão sinal que ali mora um grupo grande de pessoas. Uma pequena mesa forrada por uma toalha azul claro tem sobre ela um arranjo de flores amarelas. O lugar é humilde, mas limpo, e parece um lugar de pessoas felizes.

Ventania se aproxima, desce do cavalo e abre um grande portão lateral onde todos podem entrar, inclusive Turmio e sua carruagem.

Uma linda mulher aparece e se joga nos braços do Caboclo.

É Rebeca, uma linda Cigana de olhos azuis, cabelos negros, corpo escultural e sorriso farto.

– Ventania, que saudade de você – diz a jovem abraçando e beijando a face do Caboclo.

Todos ficam impressionados com a beleza da menina de aproximadamente vinte anos.

Ventania abraça a amiga com muito carinho, chega a tirar seus pés do chão, tamanha a altura do Caboclo.

– Venham pessoal, podem entrar, sejam bem-vindos à minha casa – diz Rebeca.

Dimas aparece feliz e saudando a todos.

– Entrem amigos, fiquem à vontade, sejam bem-vindos à nossa casa.

– Olindo, guarde os cavalos lá na cocheira e dê água e capim para eles. Vocês peguem as suas coisas e vamos tomar um bom chá feito pela minha amiga Rebeca. Venham senhores, vamos entrar – diz Ventania entrando pela porta lateral da casa.

Dimas corre para ajudar Olindo na tarefa dos animais.

– Deixe-me lhe ajudar, rapaz – diz Dimas feliz.

– Vamos entrar – diz Lucas.

A casa é pequena, a cozinha é aconchegante e tem um fogão de lenha ao centro. Ao lado, uma enorme sala onde tem duas mesas bem grandes com várias cadeiras para sentar.

– Pessoal, entrem e se sentem na sala, eu já estou indo – diz Ventania permanecendo na cozinha com Rebeca.

– Você não a conhece, Lucas?

– Sim, eu a conheço, é que ela está tão feliz em ver Ventania que até se esqueceu de mim, mas logo ela se lembrará – diz Lucas se sentando à mesa.

Todos se acomodam à espera de Ventania, Rebeca, Dimas e Olindo.

*"Os sete raios de Deus iluminam o caminhar
do espírito em evolução."*

Osmar Barbosa

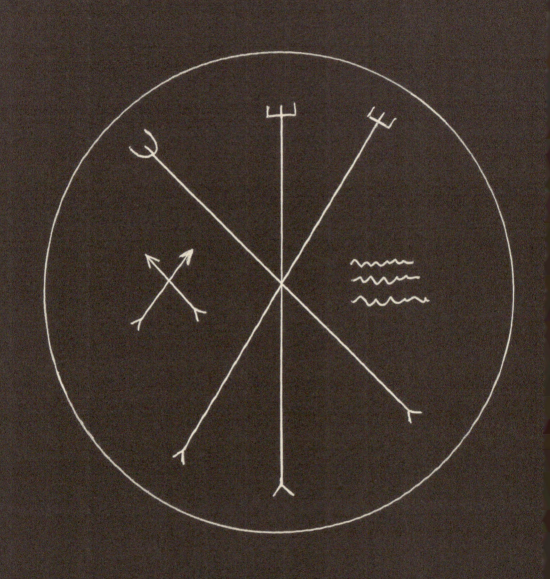

A Revelação

A tarde é quente e úmida naquele lugar, uma multidão de espíritos faz fila tentando entrar no lado Esquerdo do Umbral.

Olindo, sempre curioso, não vê a hora de poder conversar com Lucas e Ventania e tirar suas dúvidas sobre aquele lugar. Ramsés, impressionado com tudo, permanece calado admirando a beleza da sala onde objetos ciganos estão espalhados pela parede, decorando a aconchegante cabana. Aramís se senta ao lado de Lucas e permanece triste como se esperasse por respostas para suas dúvidas. Turmio se senta na ponta da mesa e permanece de olhos fechados como se estivesse em meditação. Lorenzo, calado como sempre, se senta à mesa esperando o chá.

Na cozinha, Ventania, Rebeca e Dimas conversam enquanto alimentam o fogão de lenha, onde Rebeca coloca algumas panelas com água para aquecer.

Todos sentados na sala ao lado aguardam a presença de Ventania para saber o que fazer daqui por diante.

Lá fora a confusão é grande, pode-se ouvir gritos e vários espíritos conversando na rua principal que dá acesso ao portal.

Ventania chega na sala com Rebeca e Dimas. Todos se sentam na grande mesa, vai começar a reunião onde todos serão informados dos motivos do resgate e do encontro.

Rebeca traz um bule bem grande com um chá feito especialmente para a ocasião, todos estão nervosos, afinal chegaram ao portal. Ventania traz nas mãos várias canecas onde Rebeca carinhosamente serve um a um o chá por ela preparado.

Olindo ansioso é o primeiro a perguntar.

– Podemos conversar agora, Ventania?

– Sim, Olindo, é chegado o momento das revelações – diz o Caboclo.

Aramís, nervoso, não consegue disfarçar sua angústia.

Lucas percebe que Aramís não está bem e se levanta dirigindo-se à cozinha.

– Pessoal espere um pouco, venha Rebeca, vamos pegar um jarro com água para todos, vejo que estamos todos ansiosos e alguns de nós nervosos.

– Sim, perdoem-me – diz Rebeca se levantando e dirigindo-se à cozinha.

– Não fiquem nervosos, meus amigos, eu e a Rebeca estamos aqui esperando por esse momento há mais de seis anos, bebam o chá e todos irão se acalmar – diz Dimas.

– A esperança não morre quando acredita-se no amor de Deus – diz Lucas.

– Sim, sempre nos mantivemos animados e felizes, eu e a Rebeca criamos esse espaço e aqui recebemos irmãos em aflição, pois nem todos conseguem atravessar o portal, muitos ficam aqui por anos a espera de uma oportunidade que muitas das vezes não chega. Assim, criamos esse espaço onde amparamos e auxiliamos irmãos em sofrimento.

– Belo trabalho o de vocês aqui – diz Olindo.

– Obrigado, irmão – agradece Rebeca voltando da cozinha, trazendo um jarro de barro e outras canecas – Aqui está, água fresca para todos.

Rebeca serve Aramís, que agradece a gentileza e bebe toda a água de uma só vez.

– Está mais calmo agora, Aramís?

– Sim, obrigado Rebeca!

– Bom, meus amigos, nós vamos começar por você, Aramís – diz Ventania olhando para ele fixamente.

– Eu me sinto envergonhado por estar aqui – diz o rapaz.

– Não fique, não existem acasos, tudo estava previamente combinado para esse dia – diz Lucas.

– Bom, senhores e senhora. Aramís, como podem ver, está envergonhado porque se lembra perfeitamente de Lorenzo e Dimas. Não é isso, Aramís?

– Sim – diz Aramís de cabeça abaixada.

– Ele está assim porque se lembrou de que em duas vidas atrás ele viveu ao lado de Lorenzo e de Dimas. Lorenzo era capataz na fazenda de seus avós, herdada pelos seus pais, o famoso José de Arimatéia. Lorenzo, como ele prefere ser chamado agora, desencarnou vítima de doença de chagas, e isso só foi possível porque Aramís não avisou aos seus pais que o velho José de Arimatéia agonizava no pequeno barraco em que vivia distante da sede principal da fazenda. Quando deram por falta de Lorenzo, ou melhor, de José de Arimatéia, ele já estava morto há alguns dias. Foi Aramís que se omitiu e não socorreu o velho homem.

Lorenzo pede a palavra com um gesto de mão, Ventania o autoriza falar através de um gesto de cabeça.

– Eu lhe reconheci, Aramís, e você pode ficar sossegado, não tenho raiva de ti. Esperei o momento certo para poder lhe revelar que não guardo nenhuma mágoa em meu coração. Eu era mesmo um homem velho e já estava mais do que na hora de desencarnar. Você era um menino, embora um menino mal.

Aramís permanece calado.

– Quando ao Dimas, foi um pouco diferente. Dimas era cunhado de Aramís na encarnação em que ele envenenou a irmã e o próprio Dimas. Aramís fez isso para ficar com a herança deixada por seus pais. Pagou caro por isso, foi preso e depois de mais de vinte anos de cadeia foi assassinado numa rebelião que houve entre os presos – diz Ventania.

– Você se lembra disso, Aramís? – pergunta o Caboclo.

– Sim, Ventania, e tenho vergonha de tudo isso.

– Não tenha – diz Dimas – Porque eu não me lembro disso, e se não me lembro é porque o que você fez não me feriu, não me magoou e muito menos te faz um devedor para mim.

– Por que ele não lembra disso, Ventania? – pergunta Olindo.

– Na verdade, o assassinato de Dimas foi um acerto de contas de vidas anteriores. Dimas já havia assassinado Aramís quando eles eram soldados na antiga Grécia, e aquela encarnação era uma oportunidade de resgate, por isso ele não lembra.

– Então por que eu me lembrei disso? – pergunta Aramís.

– Estamos em evolução, e algumas lembranças servem para nos alertar daquilo que não devemos mais fazer – diz Lucas entrando na conversa.

– Compreendo – diz Aramís.

– Existem mesmo essas lembranças, eu por exemplo tenho algumas lembranças que não consigo explicar.

– São lembranças boas, Turmio?

– Algumas boas e outras nem tanto.

– As boas são ensinamentos, e as más, lições – diz Lucas.

– Que bom – diz Ramsés.

– Peço perdão a você, Lorenzo, eu realmente era um menino muito mal, fiz mal a muitas pessoas quando dessa última encarnação, e aproveito para pedir a você e ao Dimas desculpas por tudo o que fiz a vocês.

– Meu amigo, isso é passado, vamos olhar para frente – diz Lorenzo.

– Quanto a mim, fique tranquilo, Aramís, como disse nosso amigo, foi um acerto de contas, agora é viver para o próximo.

– Obrigado pelo perdão, eu me sinto aliviado e feliz – diz Aramís.

– Que bom que vocês se ajustaram – disse Rebeca.

– Quanto a vocês, Olindo e Ramsés. Vocês estão juntos há várias encarnações. Já fizeram muita coisa boa, mas infelizmente na última cometeram um erro muito grave, vocês assassinaram uma inocente menina e por isso ficaram tanto tempo no Umbral. Como já disse, Marília vos perdoou, mas a sua família ainda não. Em relação ao perdão de Marília, ele só foi possível porque ela após o desencarne ficou na Colônia Amor e Caridade e lá, convencida por Nina que é nossa amiga e mentora, lhes perdoou e assim possibilitou o resgate de vocês.

– Sou agradecido por isso, Ventania – diz Ramsés.

– Eu também, Ventania e Lucas, obrigado por me ajudarem – diz Olindo emocionado.

– Dá para reparar o que fiz, Ventania?

– É por isso que você está aqui, Ramsés.

– E o que é que tenho que fazer?

– Essa resposta eu vou dar para todos após as revelações que temos que fazer – diz o Caboclo.

– Está bem – diz Ramsés.

– Quanto a você, Turmio, fostes sacerdote e como já revelastes fizestes muito mal a algumas pessoas.

– Eu sei, Ventania, e como sei!

– Tem uma coisa que você não sabe – diz o Caboclo.

Todos se assustam e olham para Ventania.

– Você se lembra da sua filha, a Cariz?

– Sim, claro que sim. Como poderia esquecer isso?

– Pois bem podes pedir perdão a sua filha Cariz, que está agora na sua frente como Rebeca.

A comoção é geral, todos os olhos presentes se enchem de água quando Turmio se ajoelha ao chão e abraça as pernas de sua filha, que se curva em lágrimas e abraça o seu pai.

– Pai – diz a linda cigana em lágrimas.

– Filha me perdoe – diz Turmio.

– Sim, meu pai, eu te perdoo.

– Eu sei que errei.

– Eu te perdoo, meu pai.

Todos ficam emocionados. Olindo e Aramís começam a chorar emocionados. Dimas se aproxima e abraça os dois.

Lucas observa tudo emocionado.

Ventania se levanta, toma o jarro de água na mão e oferece água a todos.

Após alguns minutos, as lágrimas se transformam em sorrisos, abraços e a ternura invade o lugar.

Aramís, após secar as lágrimas e beber água, se dirige a Ventania.

– E meu filhos, Ventania, quando eu poderei reencontrar?

– Após atravessarmos o portal, haverá muitas possibilidades para todos vocês. Guardem a ansiedade para depois do portal, meus amigos.

Turmio permanece abraçado à Cariz.

– Quanto a você, Rebeca, parabéns por ter perdoado o seu pai e pedir esse reencontro, que só foi permitido porque o amor que vocês sentem um pelo outro os une pela eternidade – diz Lucas.

– Senhores, por hora é isso que temos para ser revelado. Vamos comer, beber e descansar, amanhã pela manhã receberemos a visita de dois amigos nossos, e eles darão as instruções das possibilidades que todos terão pela frente. Assim, após essa conversa vocês poderão decidir sobre o futuro.

– Já é tarde mesmo, precisamos descansar – diz Lucas.

Rebeca prepara um delicioso jantar e todos estão felizes. Lorenzo conversa com Dimas lembrando dos velhos tempos na fazenda.

Turmio auxilia Rebeca em tudo o que ela faz.

Dimas, sempre ao lado, está feliz com tudo o que está vivendo naquele dia.

Ventania se senta na varanda da frente da casa e fica olhando fixamente para o céu na esperança de ver a luz ou as estrelas que não aparecem naquele lugar.

Aramís se aproxima.

– Posso lhe fazer companhia?

– Sim claro, sente-se aqui – diz o Caboclo lhe mostrando um banco de madeira.

Aramís se senta e olhando para Ventania lhe faz uma pergunta.

– Ventania, posso lhe perguntar uma coisa?

– Sim, pode sim!

– De todas as lembranças que tive nesse curto espaço de tempo que estou com vocês, tem uma que você não falou.

– Qual?

– Pode ser que eu esteja enganado, mas eu lhe conheço de algum lugar.

– Essa lembrança eu não podia falar na frente de todos, e esse é o momento apropriado para nossa conversa. Está pronto?

– Sim, eu te conheço ou é coisa da minha cabeça?

– Sabe esses flashes que aparecem na nossa mente?

– Sim.

– Eles são os alertas que a memória nos traz – diz o Caboclo.

– Pois é, eu tenho flashes na memória que te conheço.

– E conhece sim, Aramís. Em uma das suas encarnações você foi índio, e viveu junto comigo em uma tribo na qual eu era o cacique. Você me salvou de uma picada de cobra. Você se casou com uma índia que tenho muita estima até os dias de hoje. Eu lhe sou grato por tudo o que você fez por mim naquela encarnação. Logo depois disso nós tivemos ainda uma outra oportunidade de reencontro, foi em uma encarnação em que tentei lhe retribuir tudo o que vivemos na encarnação em que você viveu como índio ao meu lado. Você foi um médium umbandista e eu trabalhava com você, você era o meu cavalo, como chamamos o médium ao qual incorporamos para fazer caridade. Essa aproximação me foi permitida por estar ligado a você pelas encarnações anteriores, e assim eu tentei te ajudar a compreender a vida após a vida. Como você pode ver estamos ligados uns aos outros por diversas vidas. Todos os que estão reunidos aqui hoje estão ligados pelas vidas anteriores e elas lhes serão lembradas nas rodas de aprendizagem.

– Eu fui macumbeiro, Ventania?

– Macumba é uma brincadeira que os adeptos da Umbanda utilizam para falar dos encontros das reuniões de Umbanda. Você foi sim um médium de Umbanda, como já disse, e eu, quer dizer, nós fizemos muita coisa boa.

– Engraçado, eu sinto que isso faz parte de mim.

– E faz mesmo. O nome Ventania te soa familiar, algo que você conviveu e gostou muito de ter vivido, não é assim?

– Sim, é isso mesmo, seu nome me traz alegrias.

– Foram tempos bons, eu e você ajudamos muitas pessoas.

– Faz muito tempo isso?

– Foi antes de você virar deputado.

– É uma saudade boa o que sinto agora.

– E isso é bom para você, porque agora você terá a chance de trabalhar como uma entidade de Umbanda e ajudar muita gente.

– Eu, como assim?

– É essa a conversa que teremos amanhã. Vos será oferecida uma oportunidade de trabalho.

– Eu poderei trabalhar na Umbanda, como assim?

– Espere até amanhã. Uma coisa eu posso te garantir.

– O quê?

– Você ficará muito feliz, e eu vou poder estar sempre ao seu lado novamente.

– Se for assim, eu aceito qualquer proposta, meu amigo.

– Que bom, espere até amanhã.

– Vou esperar ansioso por esse dia.

– É só mais uma noite.

– Vou tentar dormir, meu amigo – diz Aramís se levantando e pegando nas mãos do Caboclo, que sorri.

"Oportunidade é o que Deus não deixa faltar para Seus filhos evoluírem."

Osmar Barbosa

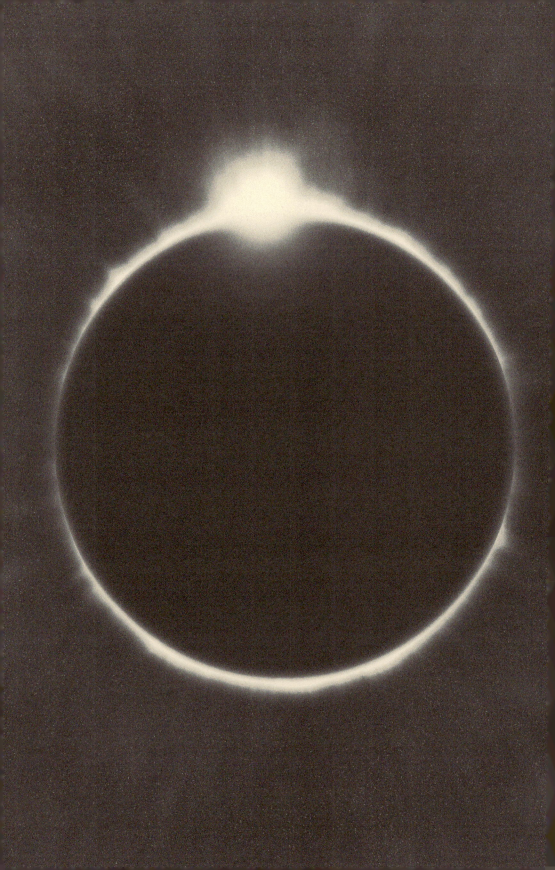

O Portal

Todos estão de pé muito cedo.

Ventania não está, saiu sem ser percebido antes do amanhecer.

Rebeca coloca o café à mesa e todos estão felizes e ansiosos para saber o que os espera.

Dimas está radiante e traz mais lenha para o fogão, que não se apaga.

O Umbral é frio e o fogo é necessário em todas as regiões.

– Como está, Aramís?

– Estou bem, Lorenzo.

– Quero pedir desculpas por algo que tenha feito para ti.

– Eu é que peço-lhe perdão por tudo que lhe fiz.

– Estamos perdoados – diz Lorenzo.

Ramsés, sentando ao lado de Turmio, conversa animadamente. O ambiente é de felicidade.

A porta se abre e Ventania chega acompanhado de um casal. Ela, morena de olhos claros, pele morena, corpo escultural. Ele, alto, forte, de cabelos bem cortados e barba baixa, delineando o belo rosto do rapaz.

– Senhores e senhora, bom dia!

Todos se assustam com a beleza do casal e saúdam os visitantes, ansiosos para saber por que aquelas visitas estão ali tão cedo.

Ventania pede que todos se sentem na grande mesa e começa a falar:

– Eu vos apresento Geraldo de Compostella e Maria de Padilha, ele conhecido como Tranca Rua e ela como Maria Padilha. Embora suas vestimentas não sejam aquelas conhecidas pelos umbandistas, eles são os chefes de linha na Umbanda e têm uma proposta para cada um de vocês.

Todos se levantam e saúdam os recém-chegados.

– Sentem-se – diz Geraldo de pé.

Todos se sentam, nervosos e ansiosos para saber do que se trata aquela honrada visita.

– Senhores e senhora, eu e a Maria somos chefes de linha na Umbanda. Milhares de espíritos, como vocês podem ver lá fora, desejam uma oportunidade evolutiva. A encarnação está cada vez mais distante de espíritos impuros como vocês. Assim, atendendo a uma solicitação que vem do alto eu e a Maria temos uma proposta para cada um de vocês.

O silêncio toma conta do lugar.

– Podemos prosseguir? – diz Maria.

– Sim – dizem todos impressionados com a beleza do casal.

– Existem três linhas de trabalho para Exus na Umbanda. Chefes de linha são Exus como nós, que conseguiram muita luz e agora administram as falanges. A chefia de falange é quando o Exu de trabalho evolui e passa a nos auxiliar e, como dito, Exus de trabalho são aqueles que começam a trabalhar como Exus e cumprem as ordens dadas pelo chefe de falange que obedece a nós. Essa hierarquia é o resultado do esforço de cada espírito que evolui através do trabalho da caridade e do auxílio que todo Exu tem que dar ao todo. Assim, vocês podem começar como Exus de trabalho e através do merecimento tornarem-se chefes de falange e quem sabe um dia serem como nós, Exus chefes de linhas. Sendo assim, temos para lhes oferecer a oportunidade de evoluírem trabalhando nos Centros espíritas, nas encruzilhadas, nos cruzeiros, enfim, em todos os lugares do Universo, porque Exu está em todo lugar, e nada se faz sem a permissão e a presença de Exu.

– E você, moça, pode trabalhar comigo como Pomba-gira – diz Maria olhando para Rebeca.

– Eu topo, já sou uma cigana mesmo. Posso ser Pomba-gira Cigana?

— Sim, pode sim!

— Eu vou ser o que, seu Geraldo? – pergunta Olindo.

— Todos vocês, para exercer a função de Exus, precisam passar algum tempo nas rodas de aprendizado. Só sendo aprovados lá é que vocês poderão trabalhar com Exus.

— Vou poder ver meus filhos trabalhando como Exus, Sr. Geraldo? – pergunta Aramís.

— Sim, seus filhos e seus familiares precisam de sua ajuda.

— Vou poder ter o perdão da família da Marília? – pergunta Ramsés.

— Você e seu amigo poderão auxiliá-los e assim conseguirem o perdão.

— Não pensem que Exu trabalha para o mal como dizem as igrejas. Exus são parceiros dos evoluídos, pois onde alguns não podem entrar, Exu domina, assim estamos ligados aos Exus para cumprirem as determinações do Criador – diz Lucas.

— Nossos amigos Exus estão no Universo para auxiliar na evolução de todos. Essa oportunidade oferecida a vocês é porque não há mais a possibilidade de reencarnação. Vocês esgotaram todas as possibilidades de reencarnar, mas pela misericórdia e pelo amor que Jesus tem por seus irmãos, ele nos permitiu oferecer a vocês essa única chance, como sabem, sois livres para escolher não seguir como Exus, e ainda, se algum de vocês desistir nas rodas de aprendizado serão trazidos para o Umbral. Ao aceitarem poderão passar pelo portal e adentrar o lado esquerdo do Umbral, onde vivem todos os Exus e demais entidades de trabalho, sejam da Umbanda como de outras religiões – diz Ventania.

– E quanto tempo teremos que ficar nas rodas de aprendizado?

– O tempo necessário para se tornar um Exu e ter consciência da responsabilidade que essa entidade tem para com os adeptos da Umbanda e demais religiões que cultuam os Exus – diz Geraldo.

– Isso varia de espírito para espírito, mas posso lhes assegurar que demora pouco, pois, ao adentrarem o portal, todas as encarnações anteriores serão lembradas e delas vocês poderão tirar os ensinamentos que tiveram e aplicá-los como Exus – diz Lucas.

– Eu tô dentro – diz Ramsés.

Todos se manifestam a favor da proposta.

– Vou poder ser cigano para ficar ao lado da minha filha Maria?

– Você já é um lindo cigano, Turmio – diz Maria.

– As qualidades adquiridas nas encarnações passadas são o passaporte para a qualidade de Exu que vocês serão, exemplo: Lorenzo será um boiadeiro, porque foi tocando a boiada que ele se tornou o que é. Assim, o que tens de melhor, melhor será usado depois do portal – diz Ventania.

– Senhores eu quero dizer que não há palavras para agradecer ao Caboclo Ventania e ao nosso querido amigo Lucas por ter nos escolhido, nos resgatado e nos abençoado com essa oportunidade – diz Aramís emocionado.

– É verdade pessoal, não podemos esquecer que foram eles quem nos trouxeram para cá – diz Olindo.

Turmio se levanta e abraça Ventania.

Todos se abraçam felizes. Lucas pede para falar e todos se calam.

– Senhores, que o meu gesto sirva de ensinamento para todos vocês, minha fé e minha perseverança me aproximou de vocês. Atendendo a um pedido superior, eu me superei quando ficava triste por não ter lhes encontrado, mas a persistência e a vontade de servir me trouxeram até esse momento, que sirva de lição para a nova vida que se apresentará agora para vocês. Nunca desistam, sejam justos, honestos e, principalmente, fiéis às leis de Deus.

Todos aplaudem o discurso de Lucas.

– E você, Ventania, não vai nos desejar boa sorte?

– Vou sim, Lorenzo. Meus amigos, eu ando por esse Umbral já há alguns anos. Já recolhi espíritos que levei para as Colônias, já socorri Exus decaídos, já fiz muita coisa boa por espíritos que vivem em sofrimento neste lugar, claro que sempre obedecendo a lei divina. Hoje entrego para o meu amigo Geraldo e sua esposa Maria mais um grupo de espíritos que espero não me decepcionar. Hoje confio a vocês, meus amigos, espíritos que precisam evoluir para seguirem ao destino estabelecido pela Criação. Desejo sinceramente que a sorte esteja ao lado de vocês e que a partir da passagem daquele portal vocês sejam úteis à humanidade, pois quando não somos úteis a Deus, não servimos para nada. Vamos continuar nosso trabalho, e espero um dia me encontrar com os senhores e a senhorita em alguma encruzilhada da vida. Salve os Exus!

Todos batem palmas emocionados.

Uma falange se estabelece em apoio a Tranca Rua e a Maria Padilha, eles são *Impuros – A Legião de Exus*.

Oração aos Exus

*Exu, vós que sois o Regente do Vazio. O protetor
das energias de esquerda.
Entidade Esgotadora dos excessos humanos e das
ilusões vãs, auxilia-me.
Peço a você Exu, e ao Pai Criador Olorum, que
me guie para que vazio eu não me torne.
Que eu possa não me perder na dualidade
dos momentos da vida.
Exu, não deixe que perturbações espirituais e materiais
minem as minhas forças e me afastem do meu livre
arbítrio, e que eu não perca a vontade de viver.
Exu, Senhor da Dualidade que vemos na matéria,
oriente-me para que eu não seja seduzido por caminhos que
me levem a paralisação evolutiva e consciencial das trevas
da ignorância em que mergulhamos quando vazios de Deus
nos tornamos.
Livra-me de tudo aquilo que me afasta de Nosso Criador,
e afaste de mim todo o Mal.
E, se merecedor eu for, que eu tenha paz, equilíbrio e
prosperidade para conduzir o meu fardo nessa encarnação
de maneira amena, com ausência dos abismos e
negativismos, sobre Tua Guarda e Tua eterna Proteção.*

Laroyê Exu! Exu é Mojubá.

"Sem Exu não se pode fazer nada, Exu é homem, é Rei das Sete Encruzilhadas."

Osmar Barbosa

Outros títulos lançados por Osmar Barbosa

Conheça outros livros psicografados por Osmar Barbosa. Procure nas melhores livrarias do ramo ou pelos sites de vendas na internet.
Acesse
www.bookespirita.com.br

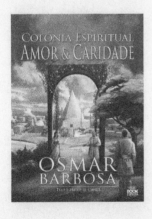 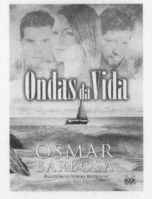 

 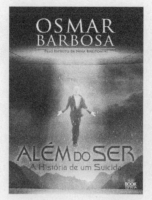 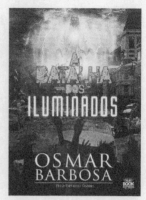
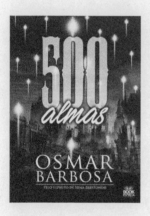  
  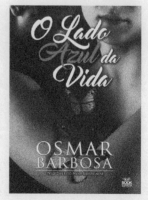

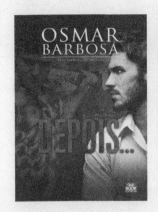

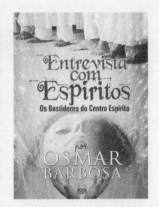
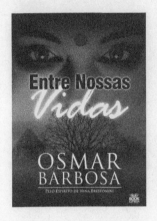
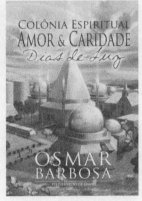
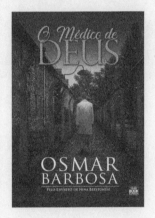

Esta obra foi composta na fonte Century751 No2 BT, corpo 13.
Rio de Janeiro, Brasil.